こちら葛飾区亀有公園前派出所④

こちら葛飾区亀有公園前派出所④

目次

中川《なかがわ》の父登場の巻　5
ボルボ式射撃特訓の巻　25
怪童・両《りよう》津《つ》奮戦す!!の巻　45
無《む》加《か》月《つき》くんのツキだめし!の巻　65
麗子《れいこ》メモリアル　85
中川《なかがわ》メモリアル　105
両《りよう》さんメモリアル　125
和服リバイバルの巻　145
痛い恩返しの巻　165
ザ・留守録パニック!の巻　185
家電恐怖症の巻　205
暴走機関車の巻　225
秘薬リョーツGPX《ジーピーエックス》の巻　245
コードレス・パニックの巻　265
それゆけ香港《ホンコン》!の巻　285
激走!模《も》名《な》古《こ》村三輪レース!!の巻　305
勝鬨橋《かちどきばし》ひらけ!の巻　325
解説エッセイ——北原照久　351

なに!! 警察官をやめるだと!?
まだはっきりときまっていないのですが…
持出禁止
中川《なかがわ》の父登場の巻《まき》

どういう事情でやめるんだ
持出禁止
父の会社のプロジェクトに参加させられてしまったんです
日米《にちべい》各大手会社が協力する「太平洋《たいへいよう》横断道路」というとてつもない計画《プロジェクト》なんです
2033年に完成する予定とかでとても この仕事を続けられなくて…
なんと43年後か…
お前 警官が本業だろ! そんなもんことわっちまえ!
そういったんですが勝手にきめてしまって…
ばかやろう! そんなことで警官やめんじゃない!!
絶対やめるな! お前がもしやめたら…
金かりるやつがいなくなるだろ! うう・う…
人間キャッシュカードのお前がいないとわしの生活がメチャクチャだ やめんでくれ〜っ
自分のことしか考えてない…
麗子《れいこ》さんがいるじゃないですか
あいつはしっかり者だからなかなかかしてくれないんだよ〜〜〜っ
すぐかしてくれる君がぼくには必要なんだ!

父親と もう一度 話し合って みたらどうだ
そうか！
直接 オヤジに 話した方が はやい！
ようし！
ピタ
ん!?
そういや 中川《なかがわ》の 父親って 一度も見た ことが ないぞ
わしも 会った こと ないな
私も…
ぼくも 生まれてから 3度くらいしか 会ったことなくて 顔もよく おぼえてないん です！
今回のことも 会社の人から 連絡があった んです
なんだって!!
父親の顔も わからん のか!!
スーパービジネス マンですよ 3日で5分しか ねないそうです 今でも！
「72時間働け ますか」が 自分の会社の 社訓ですからね
すごいやつだな

お前 家族の写真持ち歩いてたろ?
ええ 持ってますけど…
唯一 父が写ってる写真が…
これなんです
ゴルゴ13《サーティーン》みたいな親父だな…
名前は中川龍一郎《りゅういちろう》とあきらかにされてますが… 連絡はこちらからとれないんです 世界中走り回ってるから!
とにかく会社に連絡してみろよ
ムリだと思いますよ
中川圭一《けいいち》です 社長に会いたいのですけど…
え 仕事中はどこにいるかいえない!? 用事があるんですが…
ビジネス中は面会謝絶ですって?
そこをなんとか父に会わせてもらえませんか
面会予約をとらないとだめですか?
スケジュールが一秒きざみで…わかりました 予約してください
肉親とは思えんな

11年後の12月31日の午後11時から3分間なら面会可能だそうです
ふざけたことぬかすな!!
わしにかせ!
パッ
わしが話してやる!
やい こら! 実の息子が会いに…
ん!?
くそ! 切りやがった!
ガチャ
ガードがかたいんですよ あの会社は!
両津《りょうつ》 なんとか父親と会って話し合ってこい
まかせてください! とんでもない中川の父親にいいきかせてやりますよ
心配だからぼくも一緒にいきますよ

これが親父さんの予定表《スケジュール》か!
ほんとに秒きざみじゃないか!
裏工作で父のスケジュールをコンピューターから盗みとったんです大変な作業でした
5分と同じ場所にはいないんだな
ラッキーにも10年ぶりにこの日本《にほん》にきてます75時間25分日本に滞在してますからその間なんとか接触しましょう
今度 日本にくるのは11年後ですからね
ビイイン
彗星みたいな親父だな
送迎ヘリが見えました!
社長を迎えにむかってます
すごい編隊だ!!
護衛ヘリがあんなについてる!!

おそい!
5秒すぎた!
ピピッ
送迎ヘリが到着しました
取り引き中止だ帰るぞ!
クル
キッ
キッ
中川社長!
遅れて申し訳ありません!!
ダッ
首都高で事故渋滞がありまして…
いい訳無用!!
この話はなかったことにしてもらおう
カッ
カッ

ビジネスチャンスは一度《オンリーワン》きりだ
ピシャッ
そんな!
社長~~~っ
ワンモアチャンスを~~~!!
ババババ
降りたと思ったらすぐ離陸だ
いそがしいこった!
今乗ったのが中川の親父か?
ババババ
そうかも知れませんなにぶん記憶がうすくて…
自分の父親だろうがまったく!
ただ今アダムCo《カンパニー》社長がお見えになりました
ピッ
わかったあと8分でそちらに着く!
フンジャゲ国王からテレビ電話が入ってますが…
ピッ
あとにしろそんなもの!
ピッ
いそげ! 30秒予定より遅れとるぞ!
はい!
ピッ

ヒュン
所要時間100秒！
ピピッ
35階の貴賓室《きひんしつ》でアダム社長が待っております!!
わかっておる！
ツカッ
時間どおり中川社長がおみえになりました
オーミスターナカガワ！
ザッ
契約内容については事前に説明があったと思う!!
時間がないので率直に返事だけうかがいたい！

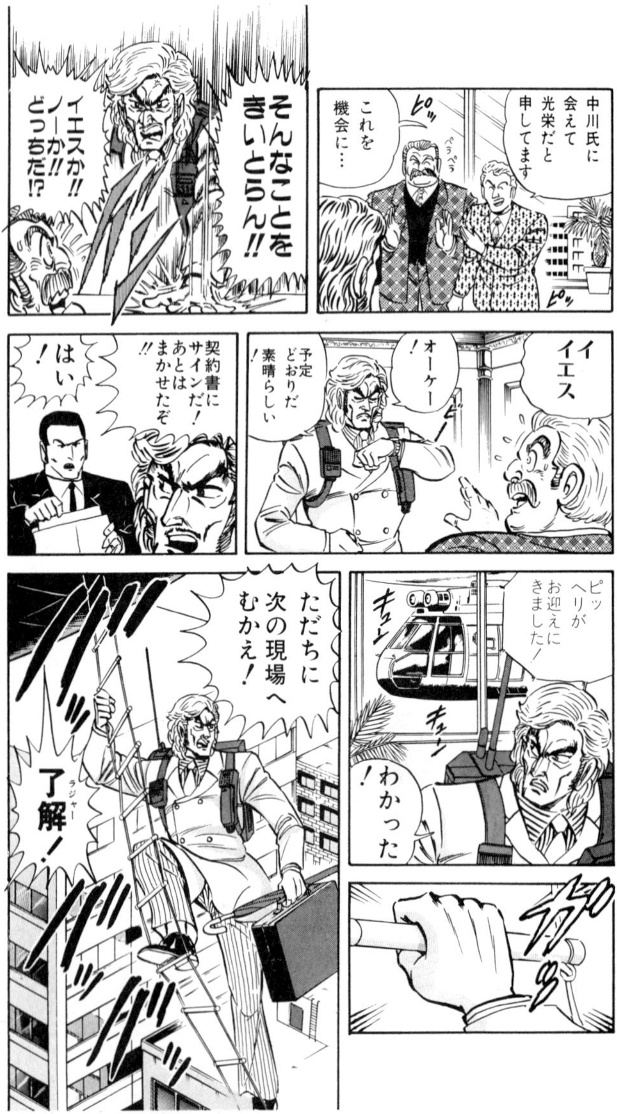
中川氏に会えて光栄だと申してます
ペラペラ
ピッ
これを機会に…
ピッ
そんなことをきいとらん!!
イエスか!!ノーか!!どっちだ!?
イ イエス
オーケー!
予定どおりだ素晴らしい!
契約書にサインだ!あとはまかせたぞ!!
はい!
ピッ ヘリがお迎えにきました!
わかった!
ただちに次の現場へむかえ!
了解《ラジャー》!

やっと追いついたぞ!
ヘリを横づけしろ!!
おーーーい 中川の親父よーくきけ
息子がお前に会いにきたぞ! わかるか!!
中川! お前もさけべ!
お父さ〜ん!!
秘書を通しなさい!
なんてやつだ…
力ずくでも会ってやるぞ!
ヘリの上につけろ!
このクソ親父!
今いくから待ってろ!!
ばっ

あっ
ダッ
私はいそがしいのだ!
もうちょっとだったのに!!
くそ!
にがすもんか!
ズッ
飛び降りちゃった!!
ムチャな!
ドスッ
うわっ
つかまえたぞ!!
電話中に失敬だぞ君!
話をきけこら!

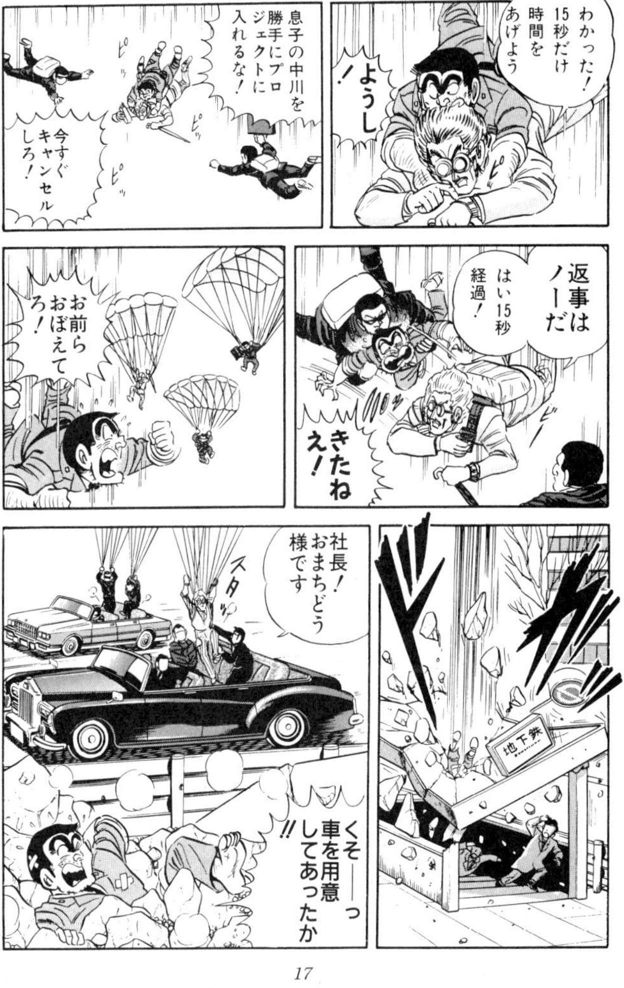
わかった！
15秒だけ
時間を
あげよう
ようし！
息子の中川を
勝手にプロ
ジェクトに
入れるな！
ピッ
ピッ
ピッ
今すぐ
キャンセル
しろ！
返事は
ノーだ
はい15秒
経過！
きたね
え！
お前ら
おぼえて
ろ！
地下鉄
社長！
おまちどう
様です
スタッ
くそ――っ
車を用意
してあったか
!!

このくらいじゃ負けんぞ待て!
ブラジルの系列会社から連絡が!
予定どおりだ!
チャッ
キリ キリ
チカッ
ピッ
ピッ
どうだ?順調か?なるほど!
うむ…よく見える198時間後にそちらへいく!
やっとつかまえたぞこいつめ!
都内は信号が多いからわしの足の方がはやいぞ!!
あっ

警察をよぶぞ！はなせ！
グイ
もうきてらあ！邪魔するな！
わしの話をきかないとすてるぞ！
グイ
わかったわかった
15秒間話をきこう！
よし
中川はプロジェクトに参加したくないんだぞ
中川をプロジェクトからはずせ！！
返事はノー
ガッ
あっ
すでにプロジェクトは動いておる！
ブオオッ
あっ待て！

ヒュン
ヒュン
ヒュン
キキイ
うわっ
うまい! いいタイミングだ!
もう逃げられんぞ!
父さん!
うわっ
フイン フイン
心配するな食事時間のベルだ
特別に18分間とる 話をきこう
おどろかすな!
立食そば
こういう所で大社長が食事するとは思わなかった
はやさが一番だ!
日本にきた時はかならず「立《たち》そば」だ

携帯電話にすりゃいいのになんでそんな無線機を！
盗聴されたくないからな！
周波数を毎回変えて連絡をとりあってる
ところで圭一！
わしは……
ピピーピピー
こら！逃げるな!!
ここでは感度が悪いんだ
ダッ
ガチャ
グイ
ニューヨークからのホットラインだと…
こちらホワイトロックどうぞ！
まるで通信兵だな…
父は 昔から人まかせは きらいですべて自分で動いてたようですよ
だから秒きざみの生活なのか！
圭一！「太平洋横断道路」のプロジェクトは延期になった！
えっ
100年先の2090年からスタートするらしい見直しが決定した！
よかったな！警官やめないですんだぞ!!

圭一!
え
20年ぶりに会ったが立派にそだってくれたな!
ピッ
急にマジになったぞ
ピ
思えばわがままな父親だが…
ドルが暴落しただと!
そのくらいそっちで処理しろバカモノ!!
72時間働けそうな気がする
社長!
ボー
うわっ
ピ
ロンドンに飛びたつまであと4時間です
ホログラフか!
ピッ
わかっておるよ
今回は大騒ぎさせて悪かったな!圭一!
ピッ
今度はゆっくり会いたいですね!

上司の両津氏！
圭一をよろしくたのむ！
ピッ
ピッ
その音はよせよ！気になるから
母さんとは毎年こっそり会ってるんだ兄弟たちには内緒だぞ
ピッ
ビジネス一筋じゃないじゃないか
時間だ！
ビー
なんだ!?
さらばだ！
ガチャ
あっ
今度日本にくる時は2001年だ！
それまで元気でな！
メリーポピンズみたいな親父さんだな

★週刊少年ジャンプ1990年12号

ボルボ式射撃《しゃげき》特訓《とっくん》の巻《まき》

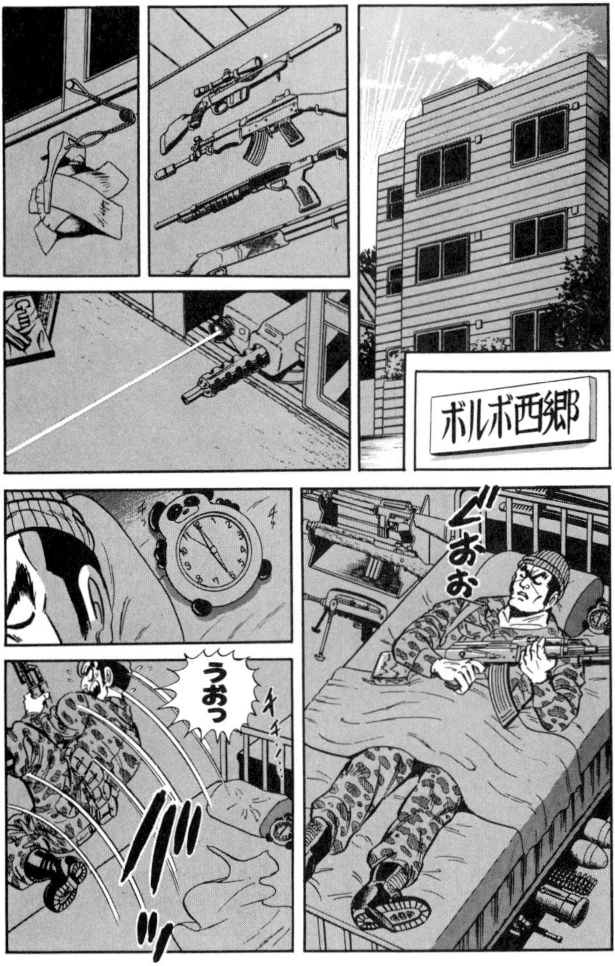
ボルボ西郷
ぐおお
チッ
チッ
うおっ
チチ…!…

だ だれだ!?
ドガガガガ
くせ者だ であえ!
なんだ 目覚まし 時計か…
びっくり させや がって…
ぜい ぜい
は は
カタン…
だ だれだ!?
チャキ
新聞配達 か…
あぶなく 撃つところ だった…
は はぁ はぁ
うおお!!!!
ガチャン
ガガガガガ
ひえーっ
牛乳配達 だったたか!
つい撃って しまった…
ぜい ぜい
はぁ はぁ

はぁ
はぁ
しかけが多いからなあまり部屋を歩き回るとあぶない
Gun
うわっ
ビーン
ガガガ
ドォ
ビシ
セキュリティーの全スイッチを!!
パチ
パチ
パチ
ガガガガ
切らないとやばい!!
あと10センチずれていたらハチの巣になるところだった…
部屋の防犯システムをもう少し考えた方がいいかも知れん

ピタ
んっ
派出所から
殺気を
感じる…
何者かが
派出所を占拠
してるな
これは
大変だ！
ガサ
ガサ
外に
気配を
感じるぞ
えっ
だれか
いるのか
？
おや？
ブン
ゴロ
手榴弾《しゅりゅうだん》だ
!!

だれだ!!
こんなマネしやがったのは!!
いた!!
さっきの気配の男だ!
あいつがくせ者か!!
チャッ
ダン
でい!
うわ
くらえ
ぐわ

ドドドガガガ
うわっ
ボルボ西郷《さいごう》さんだ!
あのバカ…
私をあまく見たようだな!
覚悟しろ!!
やめろ!こら!!
うっまだ敵がいたのか!?
はなせ!ちくしょう!
うわ
でえい!
いてっ

うわっ
今のは先輩ですよ西郷さん!
ななんだって!!
えらいことをしてしまった…
ふっとばしてしまったかな……!!
一歩にげおくれていたらあぶなかったぞ!
うおっ
手榴弾を豆まきみたいにまきやがって!!
見ろ!公園の形が変わっちまったぞ!!
ごごめんなさい
きさま!殺す気か!
すいません背後に立たれると条件反射で…

武道家なんですか!?どうりで!
殺気を感じるのは勝手だがな…
春の交通安全
相手もたしかめず手榴弾をなげ込むな!わしらも中にいたんだぞ
しかしいちいち確認していたらこっちが先に撃たれますよ
以前いた戦場ではいかに先手をとるかで…
ここは平和な日本だ!!
あの男が派出所の警察官か!?
傭兵《ようへい》をしてNY《ニューヨーク》市警にもいた経歴をもつ人なんです
おまち どうさま
ビクッ
バカ!よせ!!
ガッ
ぎゃあ

すいません つい体が 動いて しまって…
なおせ! その体を! 大バカ野郎!!
ひええええええ
なぜ 体中に そんな武器を つけてるんです
今日は署の婦警の射撃コーチにいくことになってるんですよ
お前が おしえるのか
失礼な! こう見えても FBI《エフビーアイ》の 射撃術を マスターしたんですよ!
むかえにきた!
みなさん おまちかねです!
わかった
署を爆破するなよ!
大丈夫ですよ
警視庁

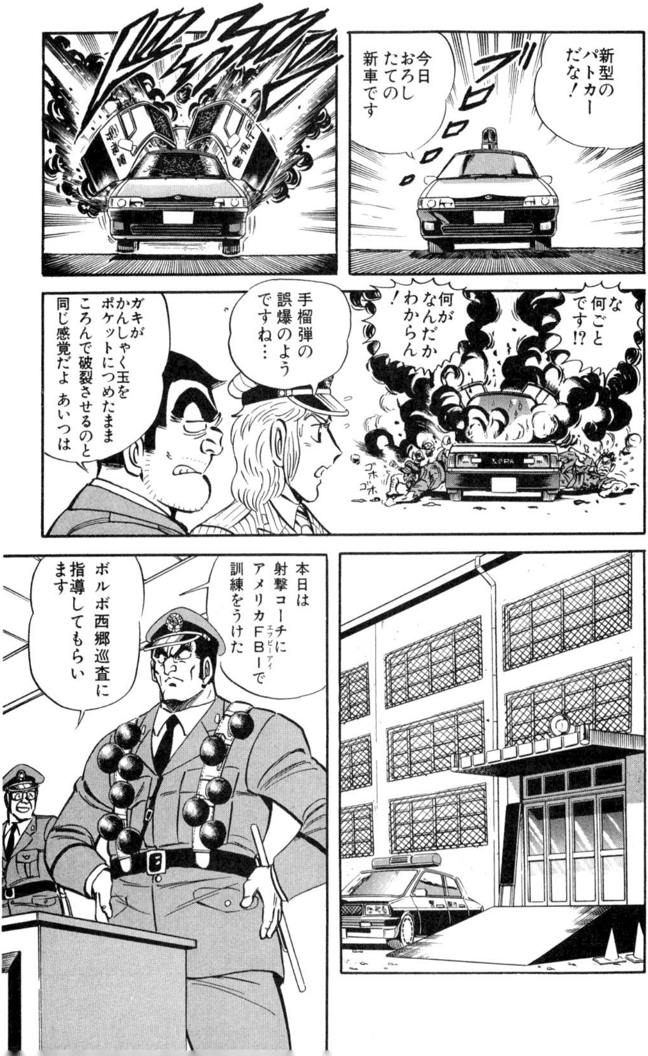
新型のパトカーだな!
ブロロロ
今日おろしたての新車です
な何ごとです!?
何がなんだかわからん!
ゴホゴホ
手榴弾の誤爆のようですね…
ガキがかんしゃく玉をポケットにつめたままころんで破裂させるのと同じ感覚だよ あいつは
本日は射撃コーチにアメリカFBI《エフビーアイ》で訓練をうけた
ボルボ西郷巡査に指導してもらいます

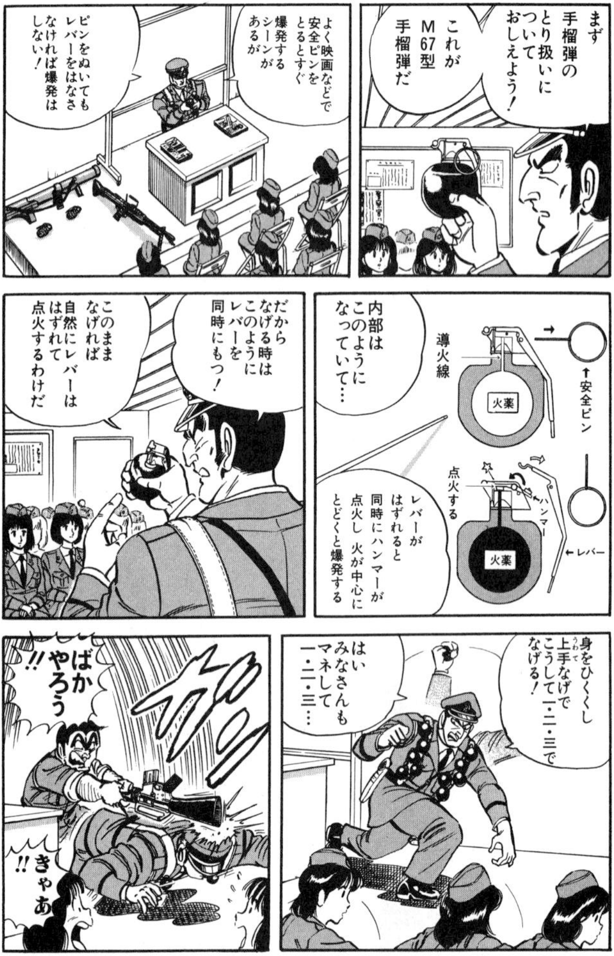
まず手榴弾のとり扱いについておしえよう！
これがM67型手榴弾だ
よく映画などで安全ピンをとるとすぐ爆発するシーンがあるが
ピンをぬいてもレバーをはなさなければ爆発はしない！
内部はこのようになっていて…
導火線
火薬
安全ピン
点火する
ハンマー
火薬
レバー
レバーがはずれると同時にハンマーが点火し 火が中心にとどくと爆発する
だからなげる時はこのようにレバーを同時にもつ！
このままなげれば自然にレバーははずれて点火するわけだ
身をひくくし上手《うわて》なげでこうして一・二・三でなげる！
はいみなさんもマネして一・二・三…
ばかやろう!!
きゃあ!!

婦警にそんなことおしえて役に立つか!! 軍隊じゃねぇんだぞ!!
なんでこんな所にいるんです!?
お前がマジメにやってるか監督にきたんだ!
いちいちこなくてもいいでしょう! まいったな
SHOTGUNS & PISTOLS
あのコーチ背が高くてかっこいいわ
ほんと二枚目ね!
ガヤ
ガヤ
ガヤ
私語はつつしむように! しずかに!
赤くなっちゃった!
ほんと!
タタン
ガヤ
男の世界ばかりにいたせいかどうも調子がくるうな!
ふう…あつくなってきた…
うわぁすごい肉体美!
スポーツマンね
すてき!
しずかにしろといったろ!
おこった顔がすてき!
かーわいい♡!
ガヤ
ガヤ

痛い目見んとわからんのか!!
きさまら!!
きゃあ!
きゃあ!
きゃあ
バカなことするな!!
人が講義してるのに「かわいい」などといわれるとむかっ腹が立って…
だからといって機関銃をむけるんじゃない!
コーチを変えた方がいいこの男人格に問題がある
なんてこというんだ!!
FBI《エフビーアイ》できたえられた射撃のエキスパートですよ私は!
それなら感情ぬきでちゃんと指導しろ!
これは空包拳銃弾だ!
先につめたプラスチックがとび出す!
空包といっても火薬が少ないだけでかなりの威力で先がとび出す!
これを使用して模擬訓練をおこなう!

鉄砲ごっこみたいでおもしろそう
こら！そこ！
いかなる場合でも銃口を人にむけてはいかん！
事故がおきてからではおそいぞ！
ぶわっくしょん！
敵だ!?
ばかやろう本物の弾が入ってたらどうすんだ！
すいません！ついうっかり!!

中庭に迷い道を作ってもらったここで訓練をおこなう
両手保持で銃をかまえる
この方が安定がよく反動も少ない
銃を目の高さにかまえ…
壁ごしに移動する！
ズズ
うおっ
ドン
あいて！
敵だ!!
チャキ
よせ！こら！
あっ
くそ！
チャ
あっ
実弾はやめろ！

訓練の前に銃を全部あずかる!服をぬげ!
えっ!?
相変わらずいろんな所に銃をかくしやがって!
25丁もよくかくしていたな!
その姿でやれ!服着てるとどこから銃が出るかわからん!
この姿でやるんですか?
キャー!
まだどこかにかくしてるんじゃないか?
ドキー
ま まさか
パンツの中も見せろ
や やめて!
やはり…な目を見ればすぐわかる!
パンツもぬいでやれ!ナイフがしこんであるかも知れん
あっ そんな!
ズル

きゃあ
丸腰じゃダメですよやめてください!
いいからいけさあ!スタート!!
生まれてから一度も銃からはなれたことはなかったのに…
銃一丁のみなんて不安でたまらん
ドキ
ドキ
ドキ
きゃあ!
ドキッ
うお
きゃあきゃあ
ズギューン
あっ
武器が全部なくなったァ!!
ぎゃあああ
たすけてくれ〜〜
ひいいたすけて〜〜
ガーン
ゴーン
こわいよォ!
ズザザ

きゃあ変態!!
しまった外へ出てしまった!
ひええどうしたらいいの〜〜!!
今日 全裸の警察官が街を走り回る事件がありました…
この警察官は葛飾署のボルボ西郷という人物で…
お前も同行したはずだな? 一体婦警にどういうコーチをしたんだ!?
彼が突然「婦警には生身の銃で勝負するぞ!!」といい出しましてね私は止めたんですけど…

★週刊少年ジャンプ1990年21・22合併号

怪童《かいどう》・両津《りょうつ》奮戦《ふんせん》す!!の巻《まき》

野球に
なってないよ
全然
それじゃ
一回戦も
あぶない
ぞ!
今から出場放棄
した方が
いいんじゃ
ないのか?
フライってのは
こうやって
とるんだ!
いくぞ
鐘田《かねだ》!!
きゃあ!
オーライ!
わかった
か!
婦警チーム
なんか
わしら3人でも
勝てるぞ
せっかく練習
してるのに!
ひどいこと
いわないでよ!
本当だよ
やってもいいぞ

わしは草野球のプロだろ！
鐘田はピッチャーで甲子園《こうしえん》になん度も出場した
否尾《いなお》は大学野球で優勝したんだぞ
この3人に勝てると思うか!?
もし負けたらはだかで町内一周してやるよ
本当ね
そのかわりわしらが勝ったら婦警全員レオタード姿で勤務してもらおう！
えっ!?
どうする？
大会の予選のつもりでかかってこい！
ガヤ
ガヤ
いいわよその条件で！
やったねきまりね！
レオタードの出勤姿が見られるぞ！たのしみだ!!
さすが両津!!

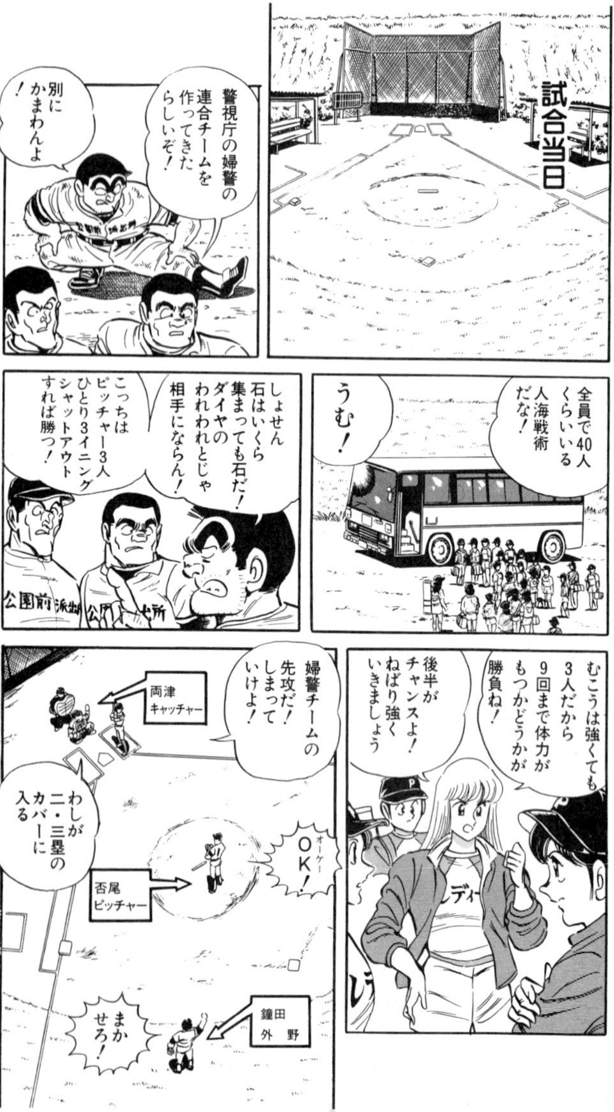
試合当日
警視庁の婦警の連合チームを作ってきたらしいぞ！
別にかまわんよ！
全員で40人くらいいる人海戦術だな！
うむ！
しょせん石はいくら集まっても石だ！ダイヤのわれわれとじゃ相手にならん！
こっちはピッチャー3人ひとり3イニングシャットアウトすれば勝つ！
むこうは強くても3人だから9回まで体力がもつかどうかが勝負ね！
後半がチャンスよ！ねばり強くいきましょう
婦警チームの先攻だ！しまっていけよ！
両津キャッチャー
わしが二・三塁のカバーに入る
OK《オーケー》！
否尾ピッチャー
まかせろ！
鐘田外野

ズバーン
ストライク三振!!
バシ
よし!それでいい!
軽い!軽い!
さすがにはやくて手が出ないわ!
大丈夫よあわせていけば!
否尾!麗子は要注意だ!
カキーン
外野!いったぞ!
オーライ
ザッ
ズル
あっ

くそ!
気をぬきやがって!
鐘田は三塁を守れ!
外野が心配だな
うっ!すべった
ピッチャー正面!
ラッキー
いただき!
パッ
これでワンアウト!
しまったついクセで!
大バカやろう!!
タッ

2点先行されたか!
婦警チーム
2
三人衆チーム
まあいい2点くらいすぐ返してやる
ブーン
そういうこと!
さあホームランだ!
ザッ
チラッ
おっ
スパーン
ストライク!!
バカ!どこを見てんだどまん中だぞ!
いや!ちょっと!

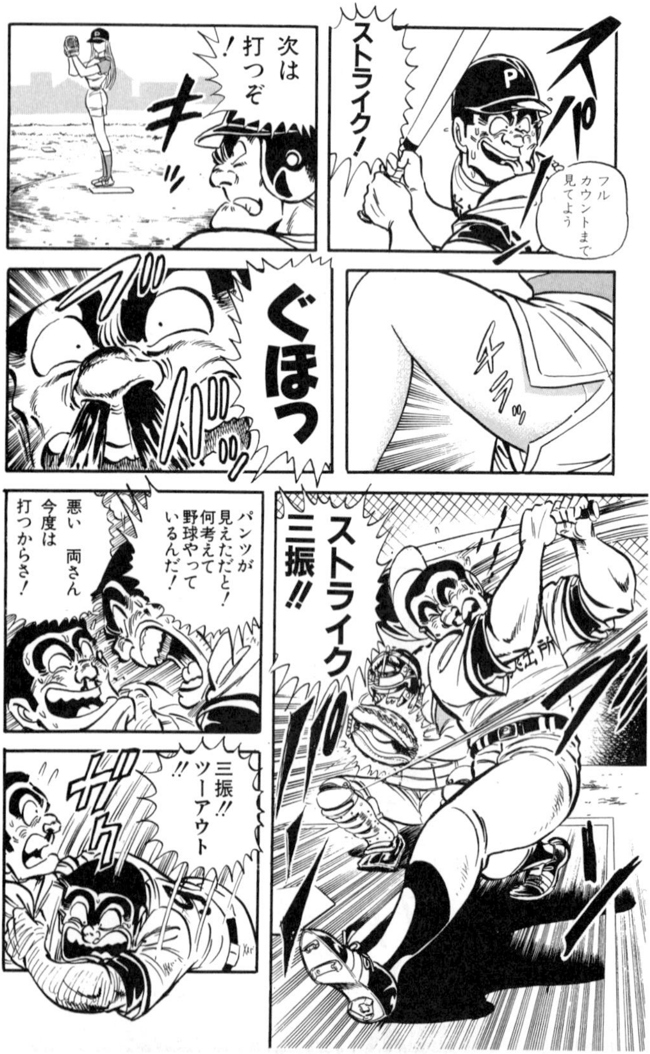
ストライク！
フルカウントまで見てよう
次は打つぞ！
ぐほっ
ストライク三振!!
パンツが見えただと！何考えて野球やっているんだ！
悪い　両さん今度は打つからさ！
三振!!ツーアウト!!

チラッと見えたもので…これも男女野球の役得だよ！
ふざけるな！甲子園が泣くぞ！こら！
どいつもこいつもなさけねェ
くそ！
公園前派出所
さあこい！
あまい
きゃあ！

わははは
さわったら手がくだけるぞ!!
ガツ
あっ
スポッ
なんと!
スリーアウトチェンジ!
くそ!ついてねェ!
スリーアウト!
色気にだまされてる間に…見ろ!シャレにならんぞエラーばかりしやがって!
悪い!次から本気出すよ
ピッチャー交代!!

ピッチャーマリア!
ちょっとまて!
やることがきたねえぞ!
婦警さんだからこちらのチームよ!
あんなか細いピッチャーなんて心配ないよ
まずいぞ!抑え・・に入られたかもしれん
ビリ
ビリ
ビリ

バッターアウト!
マリアちゃん! いい調子よ!
ペタン
160キロは出てるぞ……プロでもあんな剛速球は見たことない…
ぞ~~~
キャッチャーも・ドカベンみたいな婦警だぞ ただ者じゃない!
やつらを見ろ! ティーパーティーなどしながら もう余裕だぞ!
このケーキおいしい
ほーんと
前半 ちょっと遊びすぎたな…
げっ!
ぎええぐええ!!
否尾 大丈夫か!!
あばら骨がおれてる!
ごめんなさい!
うぐぐ

二人きりだぞ
鐘田！
打たれたら
死んでもとれよ
わ…
わかった
わしは
一・二・三塁
すべて
カバーする！
くそ
打たれた！
ピッチャー
返しだ！
ぎえぇ
ぎゃあ
マリア!!
うらみがあるのか！
たった一人の
ピッチャー兼ショート
兼外野なんだぞ！
本当に
ごめん
なさい！
不幸だけど…
これで試合は
終わりね…
一人じゃ　もう
できないわ！
あなたの負けね

あと3イニングのこってる！
まだ勝負はついいちゃいないぞ!!
完封すりゃバックなどいらん！
ぜったい打たせんぞ
一人じゃムリよ
世界一あきらめが悪いものね
しまった！りきみすぎた
ビクッ
カキーン
うおっ万事休す！
くそ！守りが一人もいないのはつらい！
やった！やった！
ランニングホームランよ！

なげてもだれもおらん！タッチしかない！
はっ
はっ
あと3メートル！
はやくはやく
タッチ！
アウト
ズザザザ
きゃあ
おしかったわね！
ぜい
ひ…一人じゃあと3イニング体がもたん！
この回の裏で最終回にしてくれ…
その回で3点返せなきゃ負けでいいからさ…
ぜい
まさか帰ってくるとは…
負傷の原因がこっちにあるからそれでもいいわよ！
よし！きまった
ぜい

体力をこの回にすべて使い切る!
一塁セーフ
いい守備しすぎだぞ! あれだけのあたりで一塁かよ!
ぜい
ぜい
ぜい
ぜい
ぜい
走者《ランナー》はどうするの?
これをおいといてくれ!
なんか変な感じね!
盗塁の心配はない安心してなげろ!

でい!
くそ 二塁打か!
代走《だいそう》! コルゲンだ
野球ゲームみたいになってきたわ
なんか満塁でも緊張感がないわ!
つべこべいうなホームランで逆転だぞ!
ぬかれた!
くそ! あたりがつまったか!

こいつらは一人じゃ動けんからアウトにされちまう！
よいしょっとこれで二塁！
二塁ランナーをもってと！
バックホーム！
やばいボールが返ってきた！
もっと軽い人形にすりゃよかった！
おっとサトちゃんが！
ゴロ
全員そろってじゃないと逆転にならん
一人へると同点だからな！
うおっ！やばい！
逆転か！トリプルプレーか！

やったセーフ
あとの走者はホームをふんでないのでアウト!ゲームセット
そんなバカな!
ずるいぞ!ゾウとカエルとケンタッキーのおやじは自分で走れないいんだぞ!
元々3対9でやるといったのは両ちゃんよ
わしが悪かった!はだかで走らせるのはかんべんしてくれ!な!?
どう する?
うーむ どうしよう
婦警さんはやさしいね半分だけはだかでいいっていってくれて
お前は上半身だからいいが・・・オレは横半分だぞ
ばかもの!わしが一番活躍したのになんで下半身なんだよ!きたねえぞ!
用品
文具店
スポーツ
洋品
DRINKS
コピー
￥10

★週刊少年ジャンプ1990年29号

無《む》加《か》月《つき》くんの
ツキだめし！の巻《まき》

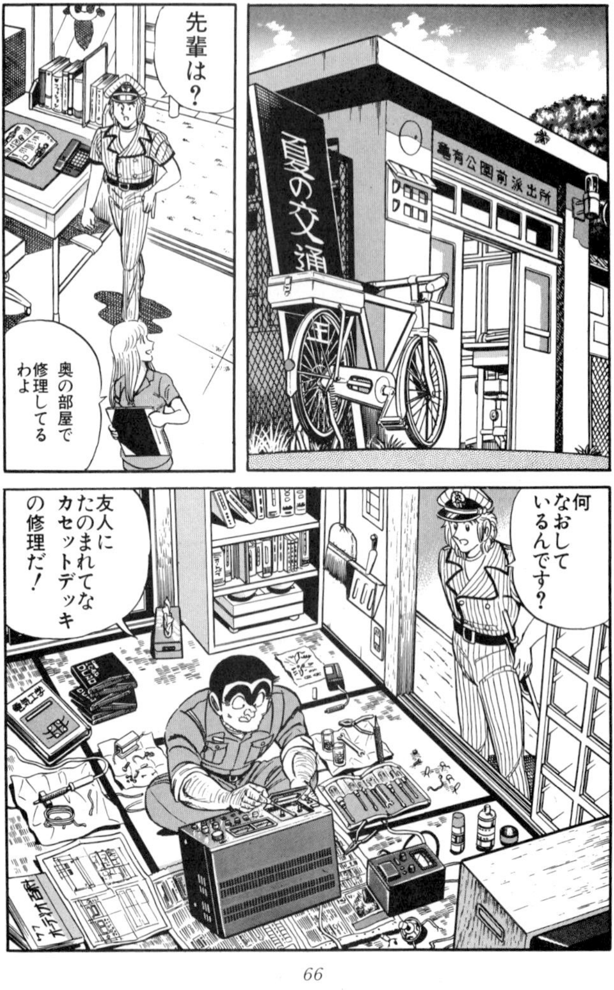
亀有公園前派出所
夏の交通
先輩は？
奥の部屋で修理してるわよ
何なおしているんです？
友人にたのまれてなカセットデッキの修理だ！

古いやつだから
わししか
修理が
できんのだ
あれ?カセットにしてはサイズが大きく見えますね
実際大きいんだよ!エルカセットだからな!
これがうわさに聞くエルカセットですか…
さすがに大きい…
コンパクトカセットの4倍はある!
元々 今の大きさのカセットテープは便利なメモ用として作られたものだからな
オープンリールを小型にしても リールの大きさや構造上 限界がある
小型オープンリールデッキ
リール
C《コンパクト》 カセットテープ
ヨーロッパ生まれ
そこで初めから2個のリールにはばが小さいうすいテープをセットしたコンパクトカセットテープをオランダのフィリップスが開発した
当時の主流は オープンリール方式であり カセット方式は会話用に多く使われた
オープンリールデッキ
Cカセット用
日本初のステレオカセットデッキ
しかし その手軽さで音楽録音をする人もふえてステレオカセットレコーダーも開発された
…が やはり音に こだわる人はオープンリールをえらぶ そこで メーカーがカセットの手軽さとオープンの音質のよさを合わせた新製品を開発した
小型でカンタン
音が今ひとつ
+
音がいいが大きくてセットも不便
=
音がよくて小型でカンタン
エルカセット
これがエル・カセットだ!

世界規格 ELCASSETTEデビュー!!
世界初のオープンテープカセットデッキは まさにオーディオの革命児!
ELCASSETTE日本から全世界へ
オープンリールデッキは消えてエルカセットは世界中の主流となるだろう!と なりもの入りでデビューした
ところがエルカセットの方が消えてしまった! あのさわぎは今にして思えばなんだったのかわからん!
そういういきさつがあったんですか…
友人の無加月《むかつき》は 今でもこのエルカセットデッキを愛用してるやつにとっては便利この上ないと言っとる
だから わしがメンテナンスをしてあげてるわけだ
商品はヒットしないと消える運命ですからね
ビデオデッキでも あいつは悲惨な目にあってる
ひょっとして…
ベータを買ったとか…
あまい!
ベータはまだデッキを生産してるだろうが! まだしあわせな方だ!
ベータでもVHS《ブイエッチエス》でもないビデオだ
そんなのあるんですか?

ちょうど今
修理中だ
ここにある
13年前に
買ったと
言ってた
これが
カセットだ
あっ
バッ
すごい
大きさだ
別名
ドカベン
カセットと
よんでいる
ここにヘッドが
当たる
構造だ!
今まで
見た事
ありませんね
デッキも
あるぞ
大昔の
オープンリール
ビデオデッキと
くらべれば
小型になった
がな!
家庭用の
ビデオデッキが
発売された
初期の物だ!
重量が16キロ
ある!
見ろ!
あっ

タ・テ・にこのようにテープを入れる
ガシャ
むろんタイマーなどついてない!
8トラみたいだ
だから録画する時はかならず前にいないといかん
無加月はいつも早退してビデオのスイッチを入れに帰っていた!リアルタイムで見るのと全然変わらん!
このテープでは同型の機種を持ってる人しか交換性がありませんね
ベータはまだ仲間が多いがこのテープは少ないぞ!
無加月はこのデッキで200本も録画してしまった
ガラッ
だからわしが修理しないとテープのままで一生見られん事になる
無加月コレクション
昭和52年度
昭和55年度
このデッキは大切ですね
日本で50人…いや…ひょっとして数人しかこの機種を保有してないかもしれん!
文通でテープのかしかりをしないとダメなわけか…
ビデオカメラまで買ったんだぞ当時!
今のビデオカメラは800グラムわってるのに無加月のはカメラとデッキで12キロもある!
それを意地になって今でも使ってる所がすごいだろ!
業務用のビデオカメラ並の重さですね

LD《レーザーディスク》より
VD《ビデオディスク》の方をえらぶし
ウォークマンもマイクロカセットのヘッドホンステレオを買う
あいつのえらぶ物はすぐ生産をうちきる物や縮小するものばかりだ
今ビデオカメラが8ミリかVHS《ブイエイッチエス》ーC《シー》かで戦ってるだろ!
あいつも2台目のビデオカメラほしがってるからな
あいつがどちらをえらぶかで勝負がきまる気がする
こわいですねそれは…
あいつの部屋へ行くといろんなのがあるぞ ベータが発売される以前のでかいカセットとかマイクロのミュージックテープとか
テレビにカセットレコーダーがついてるのとか テレビにプリンターがついて 画面がプリントされて出てくるやつとか
どんな人なんです無加月さんて?
もうすぐここへくる
こんにちは!
きたきた

よう
早かったな
夕方に
録りたい
テレビが
あるんだ!
エル
カセットも
・・・・
レストア
しといたぞ
いつも
悪いね
ビデオの方は
もうヘッドが
限界に近づいて
きた
こまったな
どうしよう
!
まだ見れるが
ヘッド使えるうち
ダビングして
おいた方が
いいぞ
うーむ
なんとか
ヘッドを
自作してよ!
ムチャ
いうな
大変
ですね
ついてない
んですよ
ぼくは!
株も勉強して
やっと株主に
なったとたん
例の暴落
ですしね!
それは
気の毒に
野球場へ
行くと
応援してるチームが
かならず
負けるんです
だから球場に
行けないんですよ
悲惨ですね

そういえば お前 車を 買ったんだってな
そう なんだよ! 昨日 とどいたんだ!
前から人気の XZR《エックスゼットアール》が ほしくてね やっとお金ためて 買ったんだ うれしくて!
そりゃ よかったな!
XZRを 買ったんですか?
ええ!
あの車 生産中止に なったそう ですよ
えっ! そんな バカな!?
今朝の新聞の 一面に 出てます!
あ!
ガーン
XZR欠陥発見!
メーカー全部回収に!?
すぐにでも引き取りに
メーカーの声 「あの車は乗らないで下さい」
ただちに生産打ち切り
以前から うわさが ありましたよ…
欠陥車 だったとは!

な…なんて事だ…
発見!
お前たち さがってろ! 危険だ!
え?
な…な
ななな…
ピキ
なめとんのかァ!!
ふざけやがって やっと買った 車なんだぞォ!
無加月 おちつけ!
はなせ!
大丈夫ですか 先輩!!
あいつ おこると人格が 変わるからな

なめんじゃねえぞコラァ!
これ以上派出所をこわすな!
うおお!
ぶつけたと思えばあきらめがつくだろ!
たかが車じゃないか
メーカーがちゃんとひきとってくれるんだから!
その金でまた新しいの買えばいいだろ
ひいいいいいい
くく…
大変ですね
株の暴落の時はもっとすごかったぞ電話ボックスを破壊したからな!
すいませんついとりみだして…
いいよなれてるから
ピクン
うおっ

今度はなんです？
思い出し・・怒りだ
なんなのそれ？
「思い出し笑い」ってのがあるだろあれの「怒り」版だ
な…ななな
なめとんのか！レコード会社!!
20年間 集めたレコードをどうしてくれるんだっ!!
おちつけ無加月！
円盤として飛ばしたり 花ビン敷きに使えよ！
くやし〜〜っ

あ！
また 思い出したか!?
ピクッ
外国アーチストのコンサートのチケット……
死ぬ思いで取ったのに来日中止だの…日程変更だの…一度も行かれたためしがない…
なめてるのか日本を！
やるならやれ！いやならやるな！はっきりしろ！
バキ
どうして オレは こんなについてないんだ！
ひいいいいい
よくきけ 無加月！
人生五分と五分だ ついてない分これからきっと運がよくなる
ほんとかなア！
本当ですよ 苦あれば楽ありですよ
かならず・・・ちょうじりが合うようになってるんだ 大丈夫！

今まで不運だったがこれから強運になるぜったい!
信じられないな!
運をためすにはギャンブルが一番いい!
馬券を買ってみろ!
バサ
じゃあこれとこれ!
よし
東京
9R
10R
インスペクター
ヨムン
ジャ
ナイ
テラ
テルミー
スペルセ
フグリキャ
ゴクローイトー
イチローオタケビ
ショーイチココロダー
ギョロメトシロー
ヒカルツメアマ
スワーシンジ
これが当たれば本物だ!
当たれば信じますけど!
よく見ろ!スタートしたぞ
ワーワーワーガ
ドドドドド
どうなるかなア
この黄色と赤ですよねえらんだの!
それが入れば当たり
ワーワー
ワーワーワー
ドシャ
あ!!

2頭同時に落馬です！最下位におちました！
ピク ピク
ガヤ ガヤ
なめ…
はやまるな！
ガバッ
あっ
ドカ
カッ
落雷がトップグループの中におちました
思わぬアクシデント馬がおどろいて動きません！
おっとそこへさっきの2頭が来た
止まってる馬をごぼうぬき！
ワー
ゴールイン
大逆転です！
ワー
見ろ入ったぞ!!
本当だすごい！
ワー

すごい強運だ！
すごいわね！
おしかった！馬券買っとけばよかったな
いやあまさか当たるとは！
よし！今すぐ宝くじを買いに行こう
え？
じゃあデッキを持って帰ります！
そうかこれを取りにきたんだ
つきがある時は何をやっても成功する！
なんか自信がわいてきました！
重たくて大変ですね
なんとかあと10年は使ってみますよ

金利
ディスカウ
金
宝クジ
ミラクルジャンボ 2億円
二億円
宝クジ
どれにしようかな？
まだまよってるのかよ！
自信を持て！お前のえらぶ券が当たり券だ！
じゃこれ連番で3枚！
はい
わしもつき合いで買うか！

だめだ わしのは はずれた！ 100円も 当たらん
なんか あの日から わしのつきが 全然 なくなった 気がするな！
無加月さん どうだったのかしら？
いちおう メモしてある への組 100000 100001 100002 だ
わかり やすい 数字ですね
あっ
あった
2億円当選番号
への組　100001
ほの組　375618
前後賞 あわせて 2億だ！
すごい 大当たりだ!!
くわあ
本当に 当たっちまった なんて強運 なんだ！
さっそく 無加月さんの 所へ行って みましょう

なにい!!
宝くじが見つからんだと!
さっきからずっとさがしているんだよ
まさか当たると思わなかったから そのへんに…
なに2億円の宝くじ!!
ドヤドヤ
おれたちもさがすぞ!
こら お前らくるんじゃない! ドロボウネコめ!
見つけたら5割だって!
当たったのになくなるなんて運がいいんだか悪いんだかわからないよ~
まるでゴールドラッシュだ

★週刊少年ジャンプ1990年33号

麗子《れいこ》メモリアル

秋本《あきもと》麗子《れいこ》 3歳《さい》
自宅《じたく》の庭にて写《うつ》す
一九六×年
フランス・パリ
オギャー
生まれたのか!
社長 あの大きな産声は男の赤ちゃんですよ!
よくやった! でかしたぞっ!!
祈願 男子!!

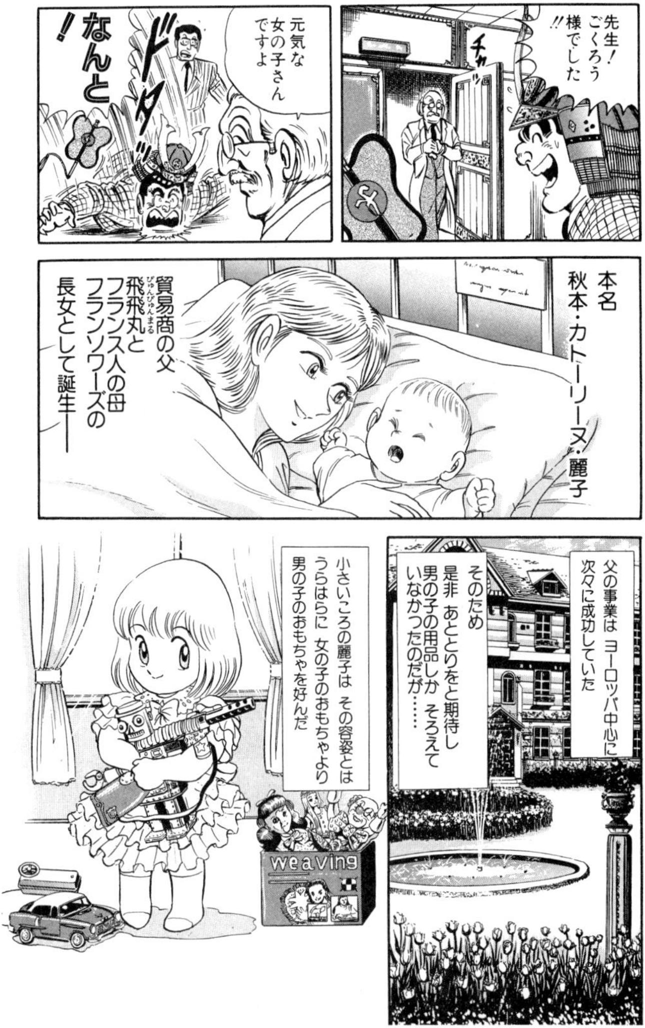
先生! ごくろう様でした!!
チャ
元気な女の子さんですよ
ドタッ
なんと!
本名 秋本・カトリーヌ・麗子
貿易商の父 飛飛丸《ぴゅんぴゅんまる》と フランス人の母 フランソワーズの 長女として誕生――
父の事業は ヨーロッパ中心に 次々に成功していた
そのため 是非 あととりをと期待し 男の子の用品しか そろえていなかったのだが……
小さいころの麗子は その容姿とは うらはらに 女の子のおもちゃより 男の子のおもちゃを好んだ
weaving

オリエンタルな雰囲気を持ち
かわいい女の子だったので
モデルにもスカウトされた
5歳の時の有名菓子店の
マスコットガールは
大好評で
フランス中で注目を集めた
あまりに有名になりすぎ
ある事件まで
おきてしまった――
CINE CITTA
CENPYA
ALPHONSE
MONDE
METRO
ALPHONSE
MOULIN

いや！おじさんたちのいうこと信用できないわ！
めんどうだこのままさらっちまえ！
へい！
ガリ
ぎえええええ
誘拐犯人を捕え大手柄をたてたことも数知れず
東ドイツ
ベルギー
西ドイツ
パリ
チェコ
オーストリア
6歳のころ　別荘を逃げだし一人で列車に乗り　パリからベルギー　西《にし》ドイツなどにいってしまうという…
男まさりの行動力に　両親は落ちつくひまもなかつた
DB
そしてまた母に赤ちゃんができた
オギャー
生まれたぞ！
社長！今度の産声《うぶごえ》はまちがいなく男の子さんです！
ようし！でかした！
男子
かわいい女の子さんですよ！
オギャー
どどっ
妹の優《ゆう》誕生　父の願いはまたも打ち崩された

15歳で スイスの
名門女子学校へ入学する
ここは寄宿舎制度になっており
世界中から お金持ちが
集まってくる
礼儀作法
しつけ 教養など
トップレディーを
めざした 実に
きびしくハードな
授業内容で
ある──
その中で 小さいころから得意だった
ピアノで モーツァルト・コンクールで
優勝したり
ヨーロッパ・ケーキコンテストで入賞
したり 輝かしい成績をおさめた

ここでも また
男まさりの
行動をおこす
ことになる
えっ
うそ!
会議室に
だれか
いるわよ
ほんとに!
きっと
ドロボウよ
先生たちは
旅行へいって
しまったし…
どうする?
私が
つかまえて
あげるわ
えっ
麗子が
!
先生たちが
留守の時は
私たちで
学校を
守らないと
そうね
私も
いくわ
私も!
ほら
会議室の
ドアが
あいてる
ちょっと
押さないで

きゃあ いた!
まかせて!
勝手に学校に入らないでくれる!
あっ しまった!
そこをどけ!
きゃあ
えいっ
うわ
ぐわっ
やった!
すごいわ 麗子!

2年後に卒業し
フランスの両親の許《もと》にもどる
17歳の時 父の事業の基盤を築くため 家族そろって日本へ――
その年 日本の大学へ入学する
卒業後 父のきめた就職先をけり 正義感の強い麗子は警察学校に入学してしまった
就職先はすでにきめました
REIKO
就職案内
そして
その翌年に…
公園前派出所に配属された
警

公園前派出所
芳賀ゆいの ANN 聴取率 10%!!
ブロロロ
マリアちゃん今日一日おつかれ様！
パトカー勤務は初めてでドキドキしましたわ
ただいま！
よっ！二人とももどってきたか！
麗子がハーフだとさっき知っておどろいたよ！
あら！そう
でも 髪がブラウンなのも国際的なのも納得って感じだな…
ぼくは以前から知ってましたよ

やだ！あの車ここまで追ってきたわ！
うまく・・・まいたと思ったのに
なんだ？車って！
銀座《ぎんざ》からついてきたのよ窓ごしに声をかけてくるの！
ゲボボボ
あの白いポルシェか
ガリリリ
プスン
カクン
おっエンストしやがった！
走っていてエンストとはへたくそなやつだ！
シフトを入れちがえてあせってクラッチをはなしたんですよきっと…
前派出所
ボボボ
キイッ
PORSCHE
左手に光るダイヤ入りローレックス！
チャッ
アルマーニのジャケット&《アンド》コート!!
ネクタイはフィンテックス！
くつはフェラガモ！
カッ
全身しめて1,000万円！
私の名は!?

スーパー金持ち
白鳥《しらとり》麗次《れいじ》さ!
なんだ ただのバカだ
こら!
お前など用はない! さがれ!!
おい! 勝手に入ってくるな

ぼくが用があるのは……
君!
この白鳥麗次をひと目惚れさせるとはにくいやつだフ・フ・フ…
今日はいそがしいのまたね!
ズザッ
きゃあ!
だめ!だめ!もうぼくから逃げられないよ
君はぼくのポルシェに乗れるラッキーな人さ!
チッチッ
エンストこく・ポルシェなんかに乗りたかないってよ!
何いうんだ君は!!

私は あの場所で一時停止をしたんだ！エンストではない！
わかっ たよっ！ そうムキになるな！
おじょうさん！
ジャラ
ぼくのポルシェで横浜《よこはま》へ海を見にドライブにいきませんか？
いきつけのレストランもありますよ！
チャラ
チャラ
チャラ
え？ ぼくの家はどこだって？
むろん田園調布《でんえんちょうふ》さ 150坪くらいの広さかな！
オヤジ!? 白鳥鉄工所の社長だよ！
ゆくゆくはぼくが社長になるはずさ すごいだろ！
っそう〜〜
きゃあ
ポルシェは乗ったことないだろ！
ぼくのポルシェはパールホワイトで日本に一台きりさ！

自慢のポルシェにガキが落書きしてるぞ
ぎゃあ!!
あほ
うんこ
こら!あっちへいけ!!
ワー
ワー
マジックで書くなんて……
だから下町にくるのはいやなんだ!
バカ
まあいい!
金持ちはこのくらい気にしない
どこの大学だって? むろん慶王大学《けいおうだいがく》!
また一人言始めやがった!
ぼくが誘ってついてこない女性は この世にいない!
なぜなら顔がいい頭がいい大金持ちと三拍子揃ってるからね!
ムダ毛もすべてそったし!
だれにむかって話してるんだよ

うちの会社知ってるでしょう！TVCF《テレビシーエフ》もジャンジャンやってるし！
知ってるわよ
そんな大きい会社か？
大きいわよ！たしかうちの会社の下請けよ！
会社関係もあるしちょっとだけつき合ってくるわねっ！
その方がいいなことわるとどういう反応するかわからんぞ
じゃあ横浜へいきましょう
さすがだね君！
ぼくの魅力をやっとわかってくれたか！
どうぞ！ぼくのポルシェに乗ってくれたまえ
その気味の悪いポーズはよせ！
ズズズ
ヘタクソな走り方だ！
ボボボボ
ずっと一速《ロー》で走ってるみたいですね？

このレストランは常連なんだ！二度目だけど！
ヨーロッパにはなん度もいってるが日本のフランス料理もまあまあのレベルになってきたね！
君はフランスにいったことあるかな？
ええ！
もしよろしければ
VIP《ブイアイピー》ルームがあいておりますが…
いやあ！白鳥鉄工の若社長とばれたか！さっそくたのむよ！
ここでいいですわ
ガタッッ
あ…おい！おい！
VIP《ブイアイピー》ルームへいくといってるだろ!!
当店自慢のワインセラーからえらびましたぜひプレゼントを
まあ
ちょっ…！
ちょっと待て！

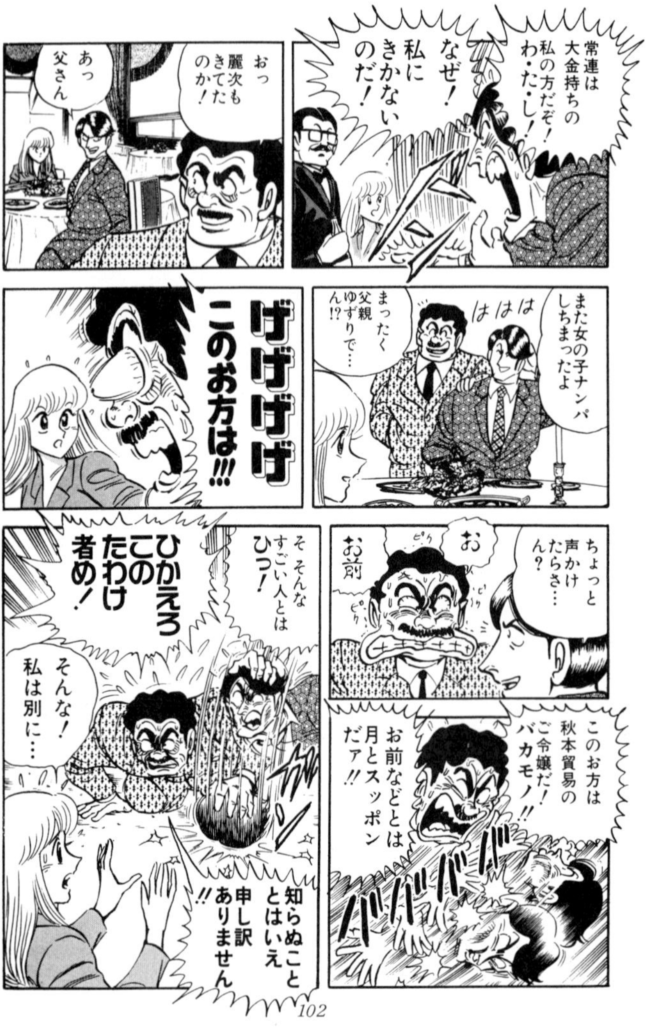
常連は大金持ちの私の方だぞ! わ・た・し!
なぜ! 私にきかないのだ!
おっ 麗次もきてたのか!
あっ 父さん
また女の子ナンパしちまったよ
ははは
まったく父親ゆずりで… ん!?
げげげげ このお方は!!!
ちょっと声かけたらさ… ん?
お
お前
ピク
このお方は秋本貿易のご令嬢だ! バカモノ!!
お前などとは月とスッポンだア!!
バババババ
ひかえろ このたわけ者め!
そ そんなすごい人とは ひっ!
そんな! 私は別に…
知らぬこととはいえ申し訳ありません!!

悪いことしちゃったわ白鳥麗次さんに！
思わぬ展開になったな
しかし元はといえばあいつから声をかけたんだぞ
それはそうだけど…
やあ！君たち！
あっ
あのあとオヤジに勘当されて一文無しさ！
スーパーびんぼうになってしまったよ
本当にごめんね！
あわれな男だ！

★週刊少年ジャンプ1990年15号

中《なか》川《がわ》メモリアル

中川圭一《なかがわけいいち》
3歳《さい》
自宅《じたく》の庭にて写《うつ》す
一九六X年
東京《とうきょう》・千代田区《ちよだく》一番町《いちばんちょう》
ついに
ご誕生
あそばされた!
中川社長の長男誕生
本社に連絡して 至急お祝いをお届けしろ!!
中川家にご長男が誕生されました
はい!たった今!

ギリシア・エーゲ海《かい》
社長!ただ今連絡が入りました!!
男の子が無事お生まれになりました
シャラップ!!
仕事中に話しかけるな!
200億円融資するということで契約成立ですな!ミスターロバート
今後トモヨロシク!ミスターナカガワ!
時間内に商談終了!
ベリーグッド!
パチン
おめでとうございます!さきほどご子息誕生のニュースが…
一度いえばわかる!

早速 奥様に ご連絡を とられた 方が…
そんな 必要は ない！
社長!!
予定より 1分20秒 遅れてるぞ！ いそげ！
はい
社長！ ご連絡を!!
龍一郎から 一字とって… 圭一か…
「圭一」が よかろう！
中川圭一
スーパー ビジネスマンの父 中川龍一郎と 母 小百合《さゆり》の長男 として誕生

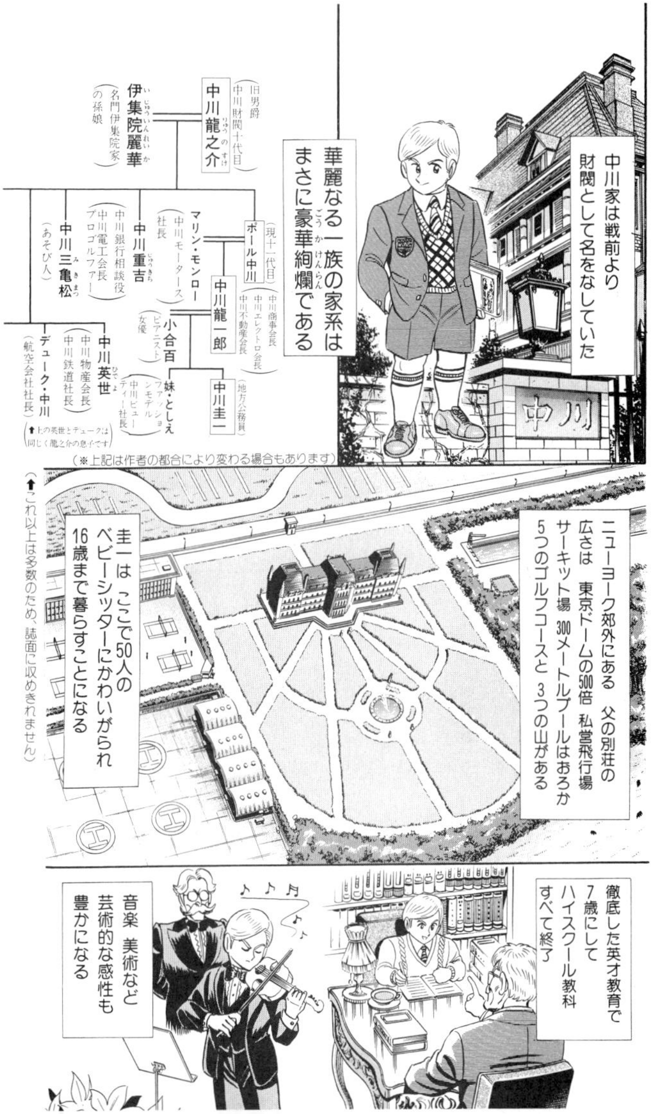

中川家は戦前より
財閥として名をなしていた
華麗なる一族の家系は
まさに豪華《ごうか》絢爛《けんらん》である
中川龍之介《りゅうのすけ》
（旧男爵
中川財閥十代目）
伊集院麗華《いじゅういんれいか》
（名門伊集院家
の孫娘）
ポール中川
（現十一代目）
マリン・モンロー
（中川モータース
社長）
中川重吉《じゅうきち》
（中川銀行相談役
中川電工会長
プロゴルファー）
中川三亀松《みきまつ》
（あそび人）
中川龍一郎
（中川商事会長
中川エレクトロ会長
中川不動産会長）
小合百
（ピアニスト
女優）
中川圭一
（地方公務員）
妹・としえ
（ファッショ
ンモデル
中川ビュー
ティー社長）
中川英世《ひでよ》
（中川物産会長
中川鉄道社長）
デューク・中川
（航空会社社長）
（⬆上の英世とデュークは
同じく龍之介の息子です）
（※上記は作者の都合により変わる場合もあります）
ニューヨーク郊外にある　父の別荘の
広さは　東京ドームの500倍　私営飛行場
サーキット場　300メートルプールはおろか
5つのゴルフコースと　3つの山がある
圭一は　ここで50人の
ベビーシッターにかわいがられ
16歳まで暮らすことになる
（⬆これ以上は多数のため、誌面に収めきれません）
中川
徹底した英才教育で
7歳にして
ハイスクール教科
すべて終了
音楽　美術など
芸術的な感性も
豊かになる

200人のコーチにあらゆるスポーツをおしえこまれた
父は まるで007のように あらゆるメカに精通しており なん年かに一度帰ってきて 遊んでくれるのが 圭一には 楽しみだった
特に車に興味を ひかれ 自宅の レーシングコースで 毎日練習していた
もっと力をだせ! あと100回!
フェラーリのクラッチは 並の重さじゃないぞ!!
ギ ギ
8歳にして フェラーリの 四輪ドリフトを完成 させたのであった
キイイイイ
うまいぞ 圭一!!

日本に帰国し 大学へ進む
すべてがオール
マイティーの圭一は
大学でも人気の的であった!
学園祭ではバンドを組み
女の子に騒がれ みんなからは
「エレキの若大将《わかだいしょう》」と
よばれていた
華麗な生活は まだ続き 卒業後
カーレーサー ファッションモデル
デザイナーと 一人三役をこなした
SOFT & HARD
アクター・フォー・メン
マックスアクター
TOYOTA 7
TEAM TOYOTA
EDWARSS
エドワーズ
家族がきめた就職先を
あっさりと ことわり…
副社長
どういうわけか警察官《けいさつかん》となって…
公園前《こうえんまえ》派出所《はしゅつじょ》に配属《はいぞく》された

中川！見ろ見ろ!!
なんです？
箱根《はこね》に今度車とミリタリーの博物館が開館されるんだってよ！
ああ それですか！
箱根に博物館
交通安全白書
うちの伯父さんたちが作った博物館《ミュージアム》ですよ
なに！本当か!?
開館日に招待されてるんですがよかったら一緒にいきますか？
ぜひ見たいからいこう！
それからすごいぞ！スタローンとシュワルツェネッガーの共演で映画が作られるんだってよ！
うちの会社が作るんですスポンサーの契約がきまって！
銀座に東京ドームと同様の巨大映画館が建つの知ってるか？
知ってますよ うちの会社で建てるんですから！

24時間営業のデパートですって!たすかるわ
うちのデパートですよ!それ!
千葉《ちば》のわしの家の近くまで地下鉄がのびるんだすごいだろ
うちの私鉄ですますます便利になりますよ
いいかげんにしろ!
パ
あいた!
お前が日本を支《ささ》えてるのかよ!金持ちだからとえらそうにするな!
ぼくは別にそんなつもりじゃ……
三丁目の駄菓子屋が新装開店するがそこもお前んとこの仕業か!?
いや~~~・・・そういう所はタッチしてないと思いますが・・・
きさま下町をバカにしてるな!こら!
ユサ
く苦しい!!
ユサユサ

F《エフ》40は
どうした?
えらく地味な
車だな!
グォォ
今日の
開館祝いに
かしました
中川家は
コレクターが
多いですからね
あの博物館は
その集大成
ですよ
異端児の
仲間たちか
道楽者の
集まりだな
博物館は
まだ
なのか?
もう入って
ますよ!
この山
すべてが
博物館
なんです
なんと
山全部
かよ!!

あちこちにトーチカが見えてどうも変だと思ったよ
すべて私有地なんですよ
圭一がきたぞ!
おおっ
しばらくぶりだ!今度飛行機をかしてくれ
航空博物館をふやそうと思ってな
いいですよ使ってください
先輩は御存知ですよね
おぼえやすい顔だ!わすれんよ!
オーナーズクラブの人たちも大勢きてますね!
駐車場が広いからなミーティングにはもってこいだ!

クラブの集まりが多いな!
箱根はメッカだよ! 走る所もたくさんある!
マイフェラーリクラブ
キョロキョロするな! 怪しまれるぞ
高級車がズラリだな
仲間同士できてるから油断してるはずだ
おい! あのグループがねらい目だ
F40か! 走る不動産だぜ!
あれなら一億以上で売れる!
あっ
あっ
ヴォオ
ヴォオッ
おれのフェラーリが!!

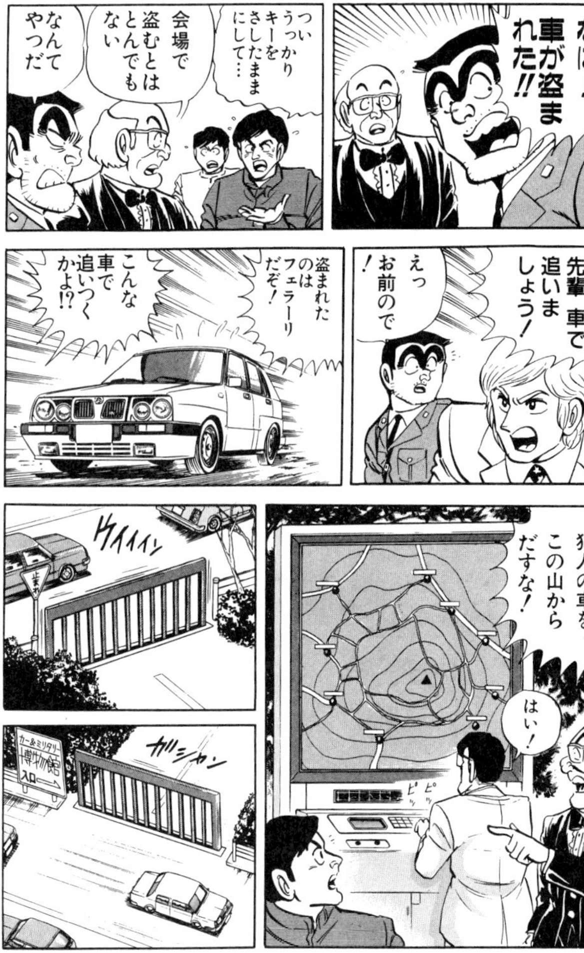
なに!車が盗まれた!!
ついうっかりキーをさしたままにして…
会場で盗むとはとんでもない
なんてやつだ
先輩 車で追いましょう!
えっお前ので!
盗まれたのはフェラーリだぞ!
こんな車で追いつくかよ!?
犯人の車をこの山からだすな!
はい!
ピッピッ
止まれ
ウィイイン
カー&ミリタリー博物館
入口
ガシャン

これで山からはでられん！
よし！犯人狩りだ！
チャッ
うわっ
ミリタリーコレクションをためすいい機会だ
心配いらん1時間以内にかならずとりもどしてくる！
F40が無事もどってくるか心配だ…
だんだん追いついてくるぞ！
いき止まりだ!!
くそ！

475馬力のパワーにもて遊ばれているでしょう
なるほど…
ただでさえ乗りこなしの難しいフェラーリ《跳ね馬》ですからね半分もパワーがでてませんよ!
こっちはチューンした230馬力をおしみなく使ってますから!互角ですよ!!
あとはテクニックと勝負度胸!!
すぐF40に追いつきます!
ギャギャ
ギャギャ
ぜんぜん引きはなせないぞ!おい!
なんて車だ!
ギャギャ
箱根江戸村

私が相手になろう！
いいぞいいぞ！
ガオオォ
うおっ
バリ
うわっ
キャギャギャッ
ガオオオ

何するんだお前ら！
撮影中だぞ!!
ガロロロ
ババ
ツ
うわっ！
いた！あの白い車だ!!
もう逃げられんぞ
車に当てるなよ
ドガガガガ
ビビ
ビビ
ビ
ぎゃあ!!

本気で この車を ねらってるぞ!!
ひいいい!
伯父さんたちだ!
なんてやつらだ! 戦争じゃねぇんだぞ!
セットをこわすなこら!!
えっ!?
ぎゃあ!!

時代劇が
メチャクチャ
だ！
1990年（平成2年）
箱根
江戸村大戦争
名門 中川家の乱心
しっかりと
でてるぞ
中川家で
絶縁するかどうかの
家族会議が
始まったんですよ
絶縁の中に ぼくの
名まで入っちゃって…
これを機会に
庶民になれば
いいじゃん！
下町の暮らしは
私にききなさい
！
上流社会の
人たちにしては
やることが
すごいな

★週刊少年ジャンプ1990年16号

両《りょう》さんメモリアル

両津勘吉《りょうつかんきち》　3歳《さい》
自宅《じたく》近くで
近所のおじさんが写《うつ》す
山田木材
昭和《しょうわ》20年代
東京《とうきょう》・台東区《たいとうく》千束《せんぞく》
お産婆《さんば》さーん！
あけてくださいよ！
ドン ドン
なんだ銀《ぎん》さんかい
もうすぐ産まれそうなんだ！

まだ10月《とつき》たっちゃいないはずだよあんたン所《とこ》は！
そんなこといったってオレにはわからねえよ！
とにかく産まれそうなんだって！
よりによってこんな嵐の時に！まったく…
ガタ
ガタ
うぶ湯の用意はまだかい！
はいはい！今やってるよ！
あいたたたた！
もう大丈夫だよあたしがきたからね
そんな所でウロウロしてんじゃないよ！
もうすぐ産まれる所だからあっちへいってな！

この雨じゃ まずいな
あさっては重馬場《おもばば》になりそうだ！
うわっ地震だ！
銀さん！元気な男の子だよ！
それどころじゃない！
ガタ
ガタ
ガタ
家がつぶれる！
ユラ
ユラ
ふう…おさまったか…！
今日はなんて日だ
ん
赤短《あかたん》ができてる!!
両津勘吉 つくだ煮屋の父銀次《ぎんじ》と母よねの長男として誕生——
生まれながらギャンブル好きであつた

体重が普通の1.5倍もあり
出産というより 大きく育ちすぎて
飛びだしたという表現があっており
まさに元気の見本であった
3歳にしてベーゴマ メンコ ビー玉に
天才的な才能を発揮し
負けたことは一度もなかった
よろず屋
よろず屋
同じ場所には 10秒といないという
落ちつきのなさで 親は目をはなす
ヒマがないほどであった
幼稚園も入園式を逃げだすという
始末で はやくも先生たちには問題児
として顔をおぼえられる

小学校へ入学しても性格は変わらず「三つ子の魂百まで」を地でいった
墨田区
台東区
また そのあばれぶりは 台東区《たいとうく》だけでおさまらず墨田区《すみだく》 荒川区《あらかわく》足立区《あだちく》 江東区《こうとうく》までおよんだ
浅草《あさくさ》の風雲児としてその悪名を下町中にとどろかせていた
江東区
ある時は電車を止めてパニックにし…
ある時は たき火で不忍ノ池《しのばずのいけ》の弁天堂《べんてんどう》を燃やし…（未遂）
ある時は 千住《せんじゅ》のおばけ煙突にのぼり 警察や学校から怒られ…
三社祭《さんじゃまつ》りでは 神輿《みこし》こわしの勘吉《かんきち》と恐れられて 町内のブラックリストにのせられていた

また弱い者いじめを見ると
たすけにいくという
正義感の強い面もあつた
中学校へ入学しても
性格は変わらなかつた
大門中学校
3歳のまま大きく
なり続けた
中学になると 体力もますますつき
はんぱなあばれ方ではなかつた
「事件ある所に両津あり」と
平凡な学園生活を印象深く
飾つてくれたのである
先生たちの忠告で
一時勉強に集中した
時期もあつたが…
金次郎《きんじろう》! なんでここが 40になるんだよ
だから さっき 二度も いった じゃないか
兄ちゃん たのむから 頭を使ってよ!

さっきから ずっと 使ってらァ!!
こらっ 勘吉!
せっかく おしえて くれるのに なんてこと するの!
グイ
あいてて てて!
ムリに勉強 おしえるのは よくないって 母ちゃん!
人には・向き・不向きが あんだから
おれ 工作 好きだからさ
将来は 大工に なるよ!
えっ
昔から 手先が器用な勘吉は 近所の大工の源《げん》さんに ならい どんどん技術は 上達した
しかし 彼は飽きっぽかった…
勘吉 どのくらい 上手に なった!
大工は やめたよ
パイロットに なることに したんだ
パイロットは どうした んだ?
やめた! 漫画家に なるよ! おれ!
200ページの 長編かいて るんだ!

結局 また飽きてしまい
勘吉始末記は加速して
ゆくのだった——
すいやせん!
毎回 面倒
ばかりかけて!
吉原警察署
元気の
かたまりだね
両津さん
エネルギーが
あまってるから
署《うち》にあずける
かい?
柔道で
少しきたえて
もらった方が
いいな!
お前は…
でぇい
強い!
オー!
オー!
形が どうのというより
並はずれた力を持ってる
勘吉に 警察の人々は
おどろかされた

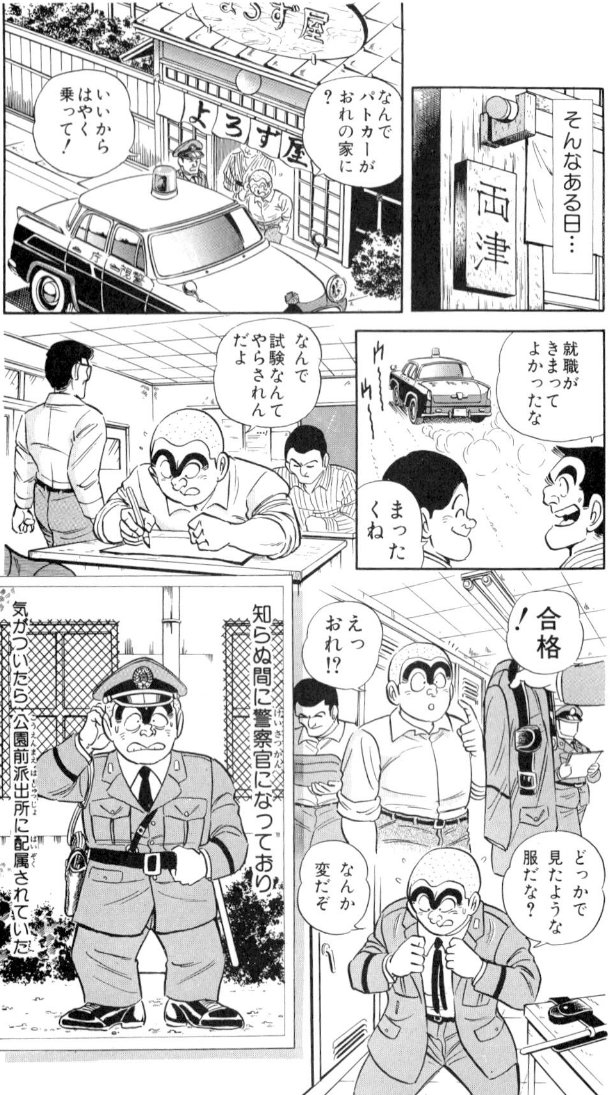
そんなある日…
両津
よろず屋
なんでパトカーがおれの家に?
いいからはやく乗って!
就職がきまってよかったな
まったくね
なんで試験なんてやらされんだよ
合格!
えっおれ!?
どっかで見たような服だな?
なんか変だぞ
知らぬ間に警察官《けいさつかん》になっており
気がついたら公園前派出所《こうえんまえはしゅつじょ》に配属《はいぞく》されていた

みなさま おはよう！
ビシ
どうしたんです あらたまって
ほんと！
プレゼントだ！ 中川がほしがってた リバロッシの N《エヌ》ゲージ！
えっ
麗子が ほしがってた ライカM《エム》3
えっ そんな！

どうしたんです？これは先輩の愛用品じゃないですか
日ごろお前たちの世話になってるからな！お礼だよ
ここにいたか！両津!!
二日も勝手に休んで…
ばっ
申し訳ありませんせん部長！
部長の好きな有田焼《ありたやき》の湯のみです日ごろのお礼に！
なに!?
ふつつかな私を面倒見ていただきありがとうございました
どうかしたのか？こいつ!?
それがさっぱり……

お前
熱でもあるんじゃないか?
とんでもございません! いたって健康です
部長には私生活までいろいろとご指導いただき…
何かおかしいぞ……
おや?
本田《ほんだ》さんや署の連中だ
めずらしいわね…
私がよんだ
えっ? 先輩が!
いやぁごくろう様!

本田くん！ほしがってたシンプソンのメットだ！プレゼントしよう
えっ
先輩の愛用品じゃないですか！こんな高いのを！
気にするないつぞやは九州《きゅうしゅう》までむりやり走らせて悪かったな！
「飛ぶ鳥あとをにごさず」というからな！
君たちにもプレゼントだうけとってくれ！
妙なこといってますよ！
うむ…やはりいつもとちがう！
両津 わしと一緒に病院へいこう！
待ってくださいよ！部長!!
大切なことがあるんですよ
なに？
ドサ

お世話になりました！私は今日限りやめさせてもらいます
ペコ
なんだって!!
そんな!!
いろいろと悩んだ結果私は長い旅にでることにきめました
今日は そのお別れのために集まってもらったのです
先輩そんな！
うそだろうおい！
両さん！
達者で暮らせよみんな！
あばよ
先輩!!
両ちゃん!!
亀有公園前派出所

長い間ご愛読
ありがとうございました。

両津勘吉巡査は
派出所を去り、旅立ちました。
13年間の長期にわたり

読み続けてくださった
読者の方々に
お礼を申し上げます。
また会う日まで
さようなら

新《しん》こちら葛飾区《かつしかく》亀有公園前《かめありこうえんまえ》派出所《はしゅつじょ》
★ニューパワー爆発《ばくはつ》新連載《しんれんさい》!!
あの両さんが帰ってきた!!
秋《あき》本《もと》治《おさむ》
新たなる旅立ちの巻《まき》
こんにちは!みなさん!
両津勘吉長い旅からよりパワーアップして帰ってきました!
あら?
なぜ怒ってるの?
連載終了だと思ったじゃないですか
よく見ろ!終了なんてひと言も書いてない!見ひらきで日ごろのお礼をいっただけだ!

パチンコ屋の新装開店みたいなもんだ! 新たな気持ちでリフレッシュだ!
「素浪人《すろうにん》月影兵庫《つきかげひょうご》」が同じキャストのままタイトルだけ「花山大吉《はなやまだいきち》」に変わってスタートしたろ!
どうだ? おどろいたか!
タイトルも新しく「こち亀Z《かめゼット》」なんちゃって!
はは
まいったね
ふざけたやつだ…
お前などもうでなくていい!
ほかの漫画にいっちまえ!
まぎらわしいことしやがって!
わっ
なんだ!? このキャラクターは?
こんな敵はいたかな?
ハ… ハロー ナイス ミチュー
や、やばいな…
どうもあやしいな
ズズ…

★週刊少年ジャンプ1990年17号

和服リバイバルの巻《まき》

亀有公園前派出所
夏の交通安全
人形焼《にんぎょうや》き買ってくるんスか!
署の課長にたのまれてな 20人分 署に届けてくれ!
なんで私がいかなきゃならんのです?
モグ モグ
浅草は地元だろ おいしい人形焼きの店を お前なら知ってると思ってな
味なんてどの店でも同じですよ
一番人気のある店で買ってきてくれ

あんこが入ってるのと入ってないのがありますがどっちです?
それはお前にまかせる
今すぐ買いにいってくれ
おつりは手間代《てまだい》としてお前にやる
本当ですか!?
じゃさっそく!
ズズッ
ちょっとまってください!
いやあ思わぬ臨時収入が入ったな!
ザー
ゴシゴシ
まけさせて思い切り金を浮かそう
カチャ

行ってきまーす！
シャー
自分で洗うとはずいぶんマメになったな
マリアさんの教育ですよ
交代で家事をしてるから知らないうちに身についてしまったのよ
子供のしつけと同じだな
浅草駅
東武電車

おさななじみの店だからタダ同様にしてしまった
9.000円もあまったな！何を買おうかな？
人形焼きも焼き立てでおいしそうだな！
ちょっとひと口！
パクッ
うむうまい！
これだけ入ってれば20人分だかなんだかわからんだろ
もう少しいただこう
ムシャムシャ
勘吉じゃないか！

何するんだ このじじい…
あっ
ゴホ ゴホ
小学校の御曲《おまがり》先生じゃないすか!?
その通りじゃ!
先生 まだ生きて…いや! 元気だったんスか!?
元気だとも!
勘吉! 今 どんな仕事しとるんじゃ!
見ての通りですよ!
スチュワーデスか?
男ですよ 私は!
そうか・・・とび職か! 大変《たいへん》だな
もうなんでもいいスよ!
先生 なんで仲見世《なかみせ》なんて歩いてるんですか?
さんぽがてらぶらぶらしてたんじゃ

ひさご通りの先にあるマンションに今 住んどる
その年でマンションぐらしですか！大変スね！
しかし30年ぶりなのに！よく私をおぼえてましたね
できの悪いやつほど忘れられんもんじゃよ！
立ち話もなんだ！その店で食事でもおごってくれ！
ちょっとまってください先生！
おごるほど金もってないんスよ！オレ！
よく聞こえんな年とるとどうも耳が遠くて！
買い出しに浅草にきたから金をもってないんスよ！
お金 全然ないの！ナッシング!!
いやあそうか！すまんな！
ポン
そういうわけですいませんね

わざわざ
肉をごちそう
してくれるとは
うれしい！
さあ入ろう！
やき肉
ちがう！
ちがう！
そんなこといっ
てないって！
グイ
いてて！
すごい
力だ！
くそ！
・・・浮かした分
全部たべられて
しまった！
年寄りのくせに
わしより
バクバク
たべやがって！
なんのために
おつかいに
こんな所まで
きたか
わからん！
まいっ
たな！
おい
両津！
ん!?

おう！立花《たちばな》か！
ぶつぶついいながら何やってんだよ
旭屋呉服店
そうかここ お前の家だっけな！
実家に寄りにきたのか両津？
今 そこで御曲先生と会ったぞ！
えっ？
スキヤキおごらされてまいったよ！
運悪く金もっていたのがわざわいした！

ケチのお前までひっかかったか!
えっどういうことだ!?
御曲先生は40年間 浅草の小学校で教師してたろ
だからこの浅草界隈でおしえ子が1,000人くらいいるんだよ
おしえ子に声をかけちゃおごってもらってるんだ!
くそ!そういうことだったのか!
しかしよく1,000人もの顔をおぼえているな
しっかりしてるんだよここがいいんだよやっぱり!
いくつくらいになるのかな?
おれたちの担任だったのが60歳くらいだったからな…
小学校のころ見た顔と ほとんど変わってなかったぞ!サイボーグになったんじゃないのか?
あるていど年とるとそれほど変化はないからな!
90はすぎてると思うよ
ひょうたん池ができる以前からこの浅草にいたからな…
90すぎか…

同世代はほとんどいなく一人でマンションぐらしか！気の毒な気もするな
高いおごりだったが…まっいいか！
お茶をどうぞ
あっ!?
だれだこの外人は?
うちのよめさんなんだよ！
はじめまして！ルシーラです
ペコリ
あっこちらこそ！
ずっと独身だったくせに突然外人と結婚するとは！
去年結婚したんだよ
そうなんです
お友だちの両津さんはどういう仕事してるのですか?
見ての通りですよ
ははは
・・・おやくざさんですか?
ガーン
制服着てても警官とわからんとは…

よく 外人と
知り合えたな
お前！
浅草で
サンバカーニバルを
毎年やっててな！
そこで知り
あったんだ！
呉服屋だから
日本的美人の
嫁をもらうと
いってた
くせに！
世の中
時代とともに
変わるんだよ
この浅草だって
時代が止まってるように
見えるが 意外に
どんどん変わって
るんだぜ！
わかってるよ
花やしき通り
わしなど
ずっと亀有に
いるからな
くるたびに
浅草が
変わるのは
感じてるよ
変わらんのは
この呉服屋
ぐらいな
もんだ
そうでも
ないぞ
外人むけの
観光みやげも
おいてるんだ
ありゃ
本当だ
風林火山
そういや昔は
こんなの
なかったものな
昔ほど
和服 着る人が
多くないからな

このあたりに日本舞踊の稽古場がたくさんあったろ!生徒がよく店にきてたじゃないか
今はもう少ないよ
常連のお客さんはいるが若い人がなかなか…
うーむそうか!
わしもアイデア考えてやるよ
ズズ…
いやあたのむよ
バン
勘吉じゃないか酒のみにいこう!!
さっき9,000円もおごったじゃないすか!
わははは
ゴホン
ゴホン
そうだったかそりゃすまん!
たくましく生きてるな御曲先生…
田中《たなか》じゃないか!
わしら一人一人が年金みたいなもんだよ!
五重塔通り

リバーシブルで
結婚式と葬式どちらにも着ていける
ほうなるほど
これが10秒で着られる和服
10秒で?
えっ私が?
たのむよ!
そでを通して…
マジックテープで前をとめる!
これでOK《オーケー》わずか10秒!
ワンタッチの和服は昔からあるがこれは完ペキだ!

ジャージのように弾力がありシワにならない生地でできているから…
シュウウウウ
帯までまとめてビニールケースで真空パックにできる!
ぞうりとたびをふくめてもこんなにコンパクト!外出先ですぐ和服になれる!
これはすごいな
ほかにこんなのもある
バサ
いっぱいありすぎて試作がまだなんだが…
ミリタリー和服
作業和服
ヘビメタ和服
パッチワーク和服
ヘビ皮和服
よく考えつくな
おもしろいアイデアだけど売れるかどうか問題よ!
き・わ・物・ばかりですからね
そ…そうかな
PR《ピーアール》に力を入れた方が売り上げ向上するんじゃないですか
マスコミを使うか!
中川出版社に取材にこさせろ!
いいですけど

警官の制服を和服にする！
えっ
立花 わしのいう通りの服を作れ
大丈夫かな？
先輩 こんな姿で取材させていいんですか？
いいんだよ インパクトが強い方が！
強すぎませんか
警視庁
中川巡査
警視庁
麗子巡査
これでいいのか？
警視庁
くくっ

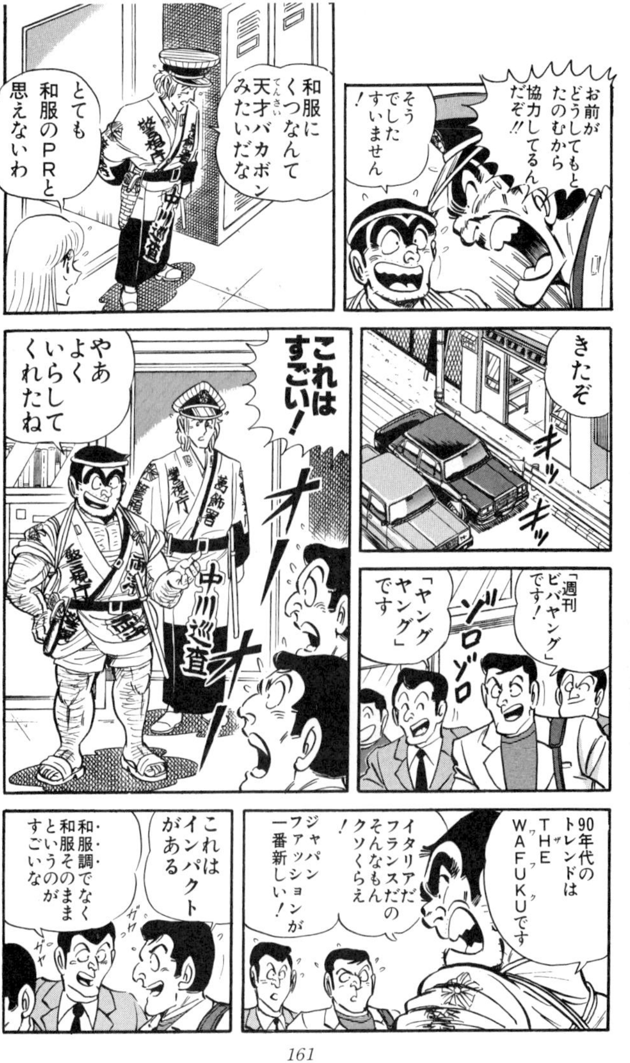

お前がどうしてもとたのむから協力してるんだぞ!!
そうでしたすいません!
和服にくつなんて天才《てんさい》バカボンみたいだな
とても和服のPRと思えないわ
きたぞ
キッキッ
「週刊ビバヤング」です!
「ヤングヤング」です
ゾロゾロ
やあよくいらしてくれたね
これはすごい!
オオーッ
90年代のトレンドはTHE《ザ》WAFUKU《ワフク》です
イタリアだフランスだのそんなもんクソくらえ!
ジャパンファッションが一番新しい!
これはインパクトがある
・・・和服調でなく和服そのままというのがすごいな
ガヤガヤ

銀行や ファースト フードも 学生服もすべて 和服で統一!!
初めは みんな 演歌歌手や 落語家と まちがえ られますが すぐなれます!
江戸《えど》時代は 全員 和服で 生活してたん ですから!
警視庁
両津
立花 バッチリ PRに なるぞ
いやあ よかった
ポン
おお バッチリ でてるぞ!
スポーツ新聞
警視庁和風化
和服の警察官登場!!
日本風制服に衣がえか? 和服試作着が完成!!
新聞にまで とり上げて ますよ 大反響ですよ
ようし! もっと 和風派出所を エスカレート させよう!!
旭屋呉服店
話題になった わりに売り上げは 変わらないね
うーむ 両津の ねらいは はずれたな

キイッ
パラダイス観光
江戸村のあとは現在の番所・派出所ともいえる派出所を紹介します
ゾロ
ゾロ
ベリーナイス!
パシャ
江戸ポリス!!
パシャ
和服PRからだいぶ方向が変わってきましたね
うむ ちょっとエスカレートしすぎたかな?
これじゃただの見せ物だなんとかしろ!!
御用
パシャ
パシャ

★週刊少年ジャンプ1990年30号

痛《いた》い恩返《おんがえ》しの巻《まき》

あの
ハチの巣
ですか?
ブーン
ブーン
そう
なんです
通学路にあるから
できれば ほかに
うつしてほしいん
ですよ
区役所に
言っても
なかなか
来てくれ
なくて!
いいですよ
うちの署に
ハチの巣取りの
プロが
いますから
そういう人が
いるんですか?
いるんです
・・・・・
そういう事だけ
得意な警官が
一人!
そのために
給料を
・・・・・
あたえてるような
ものですから!

ぐおおお
両さん
う…ん…
ちょっと来てよ
ふあ
なんだせっかくねてるのに!
ふあ〜
気やすく声をかけんなよまったく
こっちこっち
なんだいったい?
この先なんだけど…
その手は古い!
あ
ズボッ

どうしておとし穴がわかったの？
すぐばれるよ地面の色がちがう！
みんなの視線も一点に集中してるしな
いけねそうかァ
こんなあさくて小さいんじゃひっかかっても面白くもなんともないぞ
どうやって作るの？
わしらガキのころは大人がすっぽり入る巨大な物を作ったぞ！
クッションがわりにかれ木を下につめてな！
なんといってもトレンディーだったのは犬のクソ入りおとし穴だな…
おちたおどろきとクソをふんだおどろきが同時に味わえる！
一粒で2度びっくりのエキサイティングなおとし穴だ

高度のテクニックを要する水を入れたおとし穴もあった
水の上に草をうかせたりしてカモフラージュする
おしっこ入りという過激なのも現れたり
さらに犬のクソをブレンドするという・・ミニ肥えだめみたいなのも作られたぞ！
自分たちでもわからないくらいおとし穴の数がふえすぎてな
オート三輪までおちるというハプニングまであったもんだ
下山プロパン
自分たちで研究開発しないといかんぞお前らも
なるほど
先輩！
おっ
ちょうどいい実験台が来た
わしがおとし方の手本をおしえてやる
おい中川こっちだ
あっ

やはり公園にいたんですか
目線を下げんようにな!
あっ
うわ
ズボッ
あっ
あいたた
大丈夫ですか!?
中川さわるんじゃない!
じいさんいたい所はどこだ?
腰が…いたた…
ちょっと動かないでくれ!
どこだ?このへんか?
そこです

えい
ゴキ
あっ いつ!
すごい!? いたみが とれましたよ
いちおう 病院へ行った 方がいい せおってやるよ
だれが こんな所に おとし穴を 作ったん ですかね!
ピク
中に 入らないで 下さい!!
わかった お前たちの いたずらだな
あーっ ずるい 両さん!
わしを さがしてた みたいだな
部長が さがしてた たんですよ 先輩を
町内の ハチの巣を 取り去って ほしいと…
そんなの ばっかり だ!

ブーン
あれか
ブーン
あんなにハチがいて大丈夫ですか？
あのタイプのハチは心配いらん！さされてもたいした事ない！
それにしても大きいですね
ヘタに取るとハチがあばれまくるな
ビニールぶくろを持ってこい！
大丈夫ですか先輩!!
まかせておけ！
近くで見るとずいぶん大きいな
ガッ
ガッ

ブー!!
ピタ
あっ
チク
ガッ
あいた!
しまった
ポト
うわ!
ひゃあ!
やばい!
ダッ
えいっ
ドカッ
ポーン
ガラ
ぎゃあ
ハチだ!

人の家に入っちゃいましたよ
よけいまずくなった!
うわっ
だめだ手遅れだ!
そんな無責任な!
先輩が入れたんだから全部つかまえて下さいよ!
ムチャ言うな相手が多すぎる!
こら開けろ!うわ!!
いてててくそ!
しーーん
しずかになった…
先輩!
終わりましたか?

うわっ
どうしたんですその顔！
お前がとじこめたからこうなったんだよ！
うわ
なんだその顔は！
部長の命令でハチと格闘したんですよ
そんなにおこる事ないだろ！
別におこってないですよ！
たしかにま顔でもこわく見える
迫力あるわよほんとに！

なんだ そのビニール ぶくろは?
えっ
取った ハチの巣と ハチが入って るんですよ!
なに!
なんで そんな物 派出所に持って くるんだ!
だって! 殺しちゃ かわいそう でしょうが!
きゃーーっ
そんな ビニール なんかで やぶれたら どうするんだ
大丈夫 ですよ
ちっとや そっとじゃ やぶれや しませんよ!
やめろ こら!
あっ いけね
きゃー

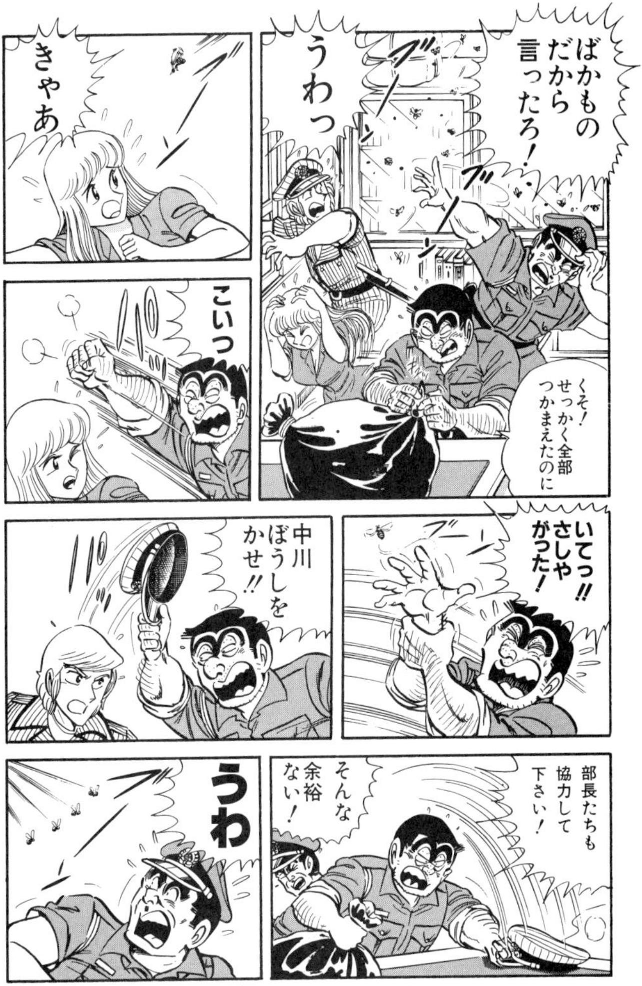

ばかもの
だから
言ったろ!
うわっ
ブゥーン
ブゥーン
きゃあ
ブーン
くそ!
せっかく全部
つかまえたのに
こいつ
いてっ!!
さしや
がった!
ブーン
中川
ぼうしを
かせ!!
部長たちも
協力して
下さい!
そんな
余裕
ない!
うわ

両津!
あ
チクチクチクチク
あちちちちっ
人の顔をタテに使わないで下さいよ!
くそ!
すばしっこいハチめ!
きゃあ
まとめて生けどりだ!!
スポッ
チクチクチクチク

ぐわっ！
いててて
ちくしょう！
協力しやがって！
先輩！ファスナーが!!
なに
ぎええええ
なんて事しやがる
こいつらめ！

とんでるハチをまとめないとつかまらんぞ！
しかしどうやって
ハチミツ使ったらどうかしら
はちみつ
うまいぞいける！
両津はだかになれ！
えっ
バッ
あっ
何するんだ！
ペタ
ペタ
だれか一人にハチの動きを集中させた方がいい！
バカななんで私が！
TRIO
ブー！
うわっちょっと部長！
ブー！
奥の部屋に逃げろ!!

うわ
ドドーン
ピシャ
よし しめろ！
開けて！部長！
ドンドン
ぎえええ えええ
し――ん
どっちが勝ったかな…
うおっ
いや！おどろいてすまん！よくやった！さすが両津さん
部長！こういうやり方してくれたのをおぼえておきますよ！ず――っと

えっ
大地主の山田《やまだ》さん
!?
ケガをなおしてくれたお巡りさんに感激してましてね
ずっとさがしてたんです
調べたあげく
この派出所の方と　わかりまして…
お礼にささやかですが
50万円ほど差し上げたいと…
ご…
50万円も
ゴクリ
みなさい部長！
日ごろのまじめさが形になって表れた！
神様は正しい者の味方です！
先輩の作ったおとし穴でケガしたんでしょう
ズキッ
介抱は当然よ！
まるでサギじゃない？
うるさいな君たちはシャラップ！
感激してお礼したいと言ってるんだから余計な事言うんじゃない！

勤務中
失礼します
両津さんは
おられますか
?
ビシ
私が
両津です
ちがう!
この人じゃ
ない!
えっ
昨日会った
お巡りさんは
こんなこわい
顔じゃない
人ちがいだ!
私ですよ
おじいちゃん
!
本人です!
本人!
やはり神は
正しい者の
味方だな

★週刊少年ジャンプ1990年36号

ザ・留《る》守《す》録《ろく》パニック！の巻《まき》
文

引き継ぎは以上だ！今夜は冷えるから注意しろ
はい部長！
一万円でいいからかしてくれよ
いやよ！
火の用心
勤務中申し訳ないがビデオ録画たのむ！
はい！
何か番組録《と》るんですか部長！
MHK《エムエッチケー》の大河《たいが》ドラマ「幕末《ばくまつ》の春《はる》」という時代劇をやっていてな 今夜が最終回なんだ
そうか！今夜出張で見られませんね
ビデオで毎週録画しているんだが今こわれていてな修理しとるんだよ
明日にはなおるが間に合わんからな
そこで派出所のビデオで録画してもらおうと思ってな
部長は時代劇が本当に好きなんですね

「幕末の春」は最高におもしろい毎週楽しみにしとるんだよ
まかせてください！部長
じゃ7千円でいいから——ねっ！
いや！
いい加減にせんか！
パカッ
あいて！
引き継ぎもきいとらんで！金をかりるしか頭がないのかお前は！
金を使う頭もありますよ！ちゃんと！
署で「結婚したくない男」ナンバー1《ワン》になってたそうだな！お前！
そういう自堕落な生活しとるから女性にも相手にされんのだぞ！
大きなお世話だよくそ！
ブロロロ…

給料が安い！こういう機会に内職して稼がんとな！
働けど働けどわが暮らし楽にならざる…
もう12時か！少し休もう
あーつかれた！
ん!? 寺井《てらい》がいない
何してんだよ！そんな所で
12時15分から録画するんだよ

部長からたのまれたんだ
「幕末の春」の最終回を録ってくれって！
えっ！あの・・・超ドマイナーなドラマか！
あんなつまらんもん見てるのは日本で部長一人だぞ！視聴率0.001%だ！
よく一年間も見る気になるな！ほとんど拷問に近いぞ！
録画ならタイマーセットすりゃいいだろうが！
あっいいよさわらないで!!
タイマーなんかで録れてなかったら大変だよ！
大丈夫だよちゃんとセットすりゃ！
もし動かなかったらとりかえしつかないよ！自分自身で確認して録画するよ
まったく心配性なやつだ！
じゃあそこで画面をにらみながら心ゆくまで録画しろよ
そうするよあと10分で始まりだからね

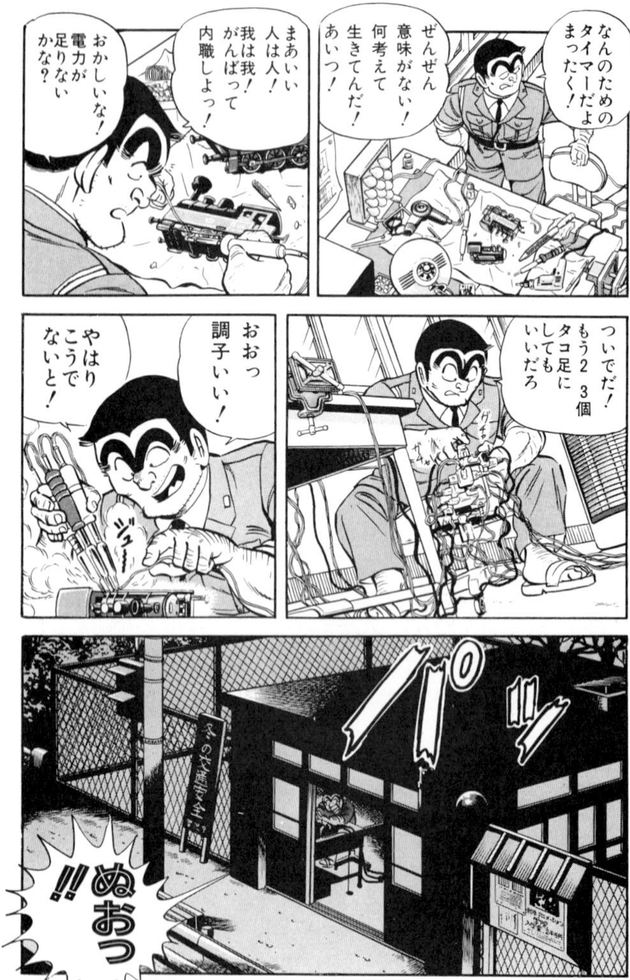
なんのためのタイマーだよ まったく!
ぜんぜん意味がない! 何考えて生きてんだ! あいつ!
まあいい 人は人! 我は我! がんばって内職しよっ!
おかしいな! 電力が足りないかな?
ついでだ! もう2 3個タコ足にしてもいいだろ
ガチャ
ガチャ
おおっ 調子いい!
やはりこうでないと!
ジュ~~
パッ
ぬおっ!!

両さん大変だ！停電だよ!!
今ちょっと電気を使いすぎてショートしたんだ！
どうすんだよ あと5分で始まっちゃうんだぞ！
大丈夫だよ すぐなおすから！
ヒューズが完全にとけてらァ こりゃだめだ！
はやく！はやくなおして！
あわてるな！旧型の安全機《ブレイカー》はシンプルだ
ヒューズのかわりにハリガネを使えば切れることはない！
あっついた！
よかった ビデオが動かなかったらえらいことだからね
もう安心だぞ！

ボン
うおっ!
ぎゃあ!
いけねっ! 電熱器などスイッチ入れっぱなしだった!
はやくなおしてよ両さん!!
安全機《ブレイカー》が完全に焼けちまった修理不可能だ!
えーーっどうするんだよビデオは!?
乾電池をいくらつないでも動く気配がないな!
あと一分で始まるよ両さん!
最後の手段だ!
どうするんだい!
プチ
電気のある所までいくぞ! いそげ!!
テレビは持っていかなくていいのかい?
ダダッ

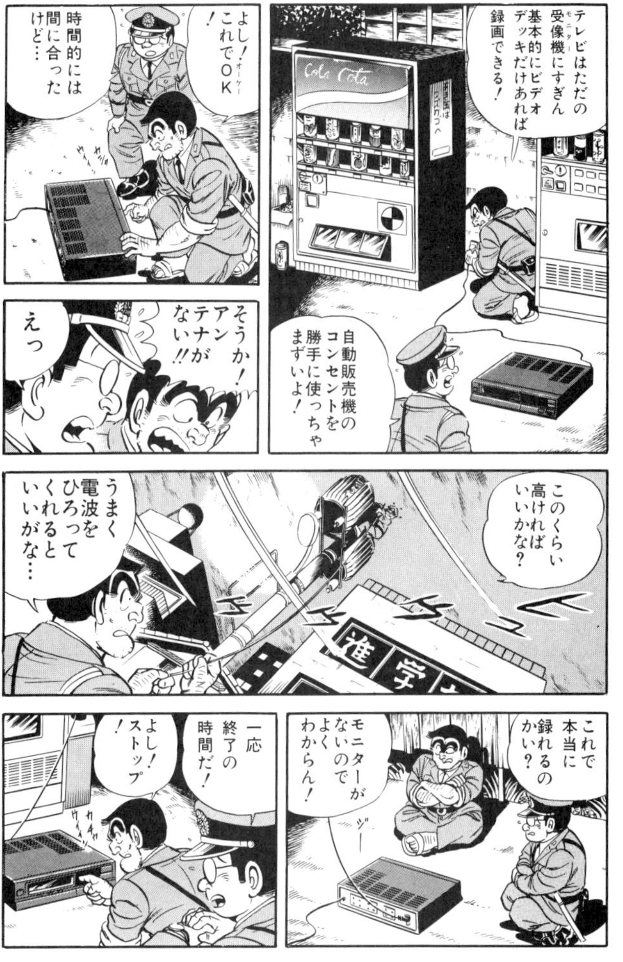

テレビはただの受像機《モニター》にすぎん基本的にビデオデッキだけあれば録画できる！
よし！これでOK《オーケー》！
時間的には間に合ったけど…
自動販売機のコンセントを勝手に使っちゃまずいよ！
そうか！アンテナがない!!
えっ
このくらい高ければいいかな？
うまく電波をひろってくれるといいがな…
進
学
これで本当に録れるのかい？
モニターがないのでよくわからん！
ジー
一応終了の時間だ！
よし！ストップ！

朝一番で電気屋にきてもらおう!
こんな真暗な所でねるのは気味悪いな
電気屋さんきてたけど何かあったんですか?
いや別に!なんでもないよ
両さん!バッチリ録画できていた!?
針金アンテナのチューニングがまずかったようだ!
ザー
ひえっ
部長にどういえばいいんだよ!ひどいよ両さん!!
ガッ
一応最善は尽くしたんだしょうがねえだろ!

両さんが停電させなけりゃちゃんと録れてたのに！ひどい!!
あれは事故だ！しかたない
それじゃすまないよ！部長楽しみにしてた番組なんだから!!
ちょっと落ちつけ寺井！
あいた！
ちゃんとこのビデオにおさめたということにすればいい
見たらすぐにわかってしまうよ
デッキで再生しなけりゃわからんだろ！
部長の見る前に・・・何かがおきればいいわけだ
やな予感がする
昨日の「幕末の春」を録画たのんでまだ見てないんだ！
MHKの大河ドラマですか!?

あれは報道特別番組が入って放映中止になりましたよ
なに！本当か!?
一週間放映がのびて 来週が最終回です
そうだったのか部下に悪いことしたな！
キイ
ぶ 部長が帰ってきた…
うろたえるな
ここはわしにまかせろ
夜勤ごくろうだったな
お帰りなさい！

昨日のビデオのことだが…
もちろん！バッチリ録ってあります!!
何？録った!?
当然！なんたって大切な最終回だものな！寺井！
コックリ
ちゃーんとここに！
パッ
そのテープに「幕末の春」の最終回が入ってるのか？
そうです！ちゃ——んと録りました!!
じゃ部長に渡します！はい！
信じられんな
渡しましたね！
あっ！
グイッ
なに!?
押さないでください部長！

あ〜〜っ
やめてください部長!!
あっ!!
部長!!何をするんです!
テープが!テープが!!
うわっあぶない!!
あっ!!
燃えた!!
おどろいた!何かうらみがあるんですかいきなり!!
わしは別に…
ひどいことするなァ!部長!
せっかく録ってあげたのにパアにしてしまった!

オニ！悪魔!!不届き者!!
お前は最終回を見たのか？
もちろんですとも！見ながら録画したんですから！
あんなおもしろい最終回はなかったよ！な！
じゃあいってみろ!!
えっ
ドキッ
どういう最終回だった？
えぇーとたしか…男がでてきて…
江戸時代の話でしたね……
ちょっと記憶が…
寺井くんどういう話だっけ？君詳しいよね時代劇！
両さんあの…
そう黒船がでたんだ!!
もう…だめだよ
何いってるんだ！「幕末の春」の話だぞ今は！
そうだ！「証拠は燃えた」というセリフがでてきたな！そうだよ！
「心配いらん」というセリフもあちこちにでて…
昨日「幕末の春」は放映中止になったぞ！
へっ???
・・特番でドラマは来週に見おくりになったんだよ

そうだ!! 今思いだした! 中止でしたよ! 部長!
もう おそいぞ 手遅れだ!
申し訳 ありません 部長!
ペコ
勤務中たのんだ こちらも 悪かった! 寺井は 悪くない!
悪いのは 両津の方だ!
な なんで 私だけ!!
いいのがれを して ミスを ごまかそうと する態度が ゆるせん!
お前は いつも うそをついて ごまかし だらけの 人生だ!!
ごまかして ませんよ 別に!
それが ごまかし だろうが!!
ポカ
あいた!
いい訳 すれば するほど ドロ沼だ…
まったく お前という やつは…!!
部長の家

お父さん
今日
「幕末の春」の
最終回ですね
わかっとるよ
前回は
見のがす所
だったからな
録り続けた
ビデオテープが
5本目になって
しまったよ
両さん
やめようよ
！
だめだ！
やると
いったら
絶対
やる！
あれだけバカだ
カスだといわれて
だまってる両さん
ではない！
復讐してやる！
根に持つ
人だな…
ちがう！
部下に
愛情のない
しかり方すると
こうなるという
見本を示す！
自作の
すばらしい
番組を
見せてやる

あと
20秒…
まあ
ビールまで
用意して!
一年間の
総決算
だからな!
これで
よし!と…
テレビを
つけて
録画の
スイッチを
入れて…
ザーー
ん!?
画面が
映らん!?
よし!
スタート
!!
おっ
映った
!
今夜は
「幕末の春」の
予定でしたが
めでたく
中止です!!
これから
報道特別番組
「両さんの
おげれつテレビ」
が始まります!
どうも
部長
!
うわっ
な なんで
両津が
テレビに……

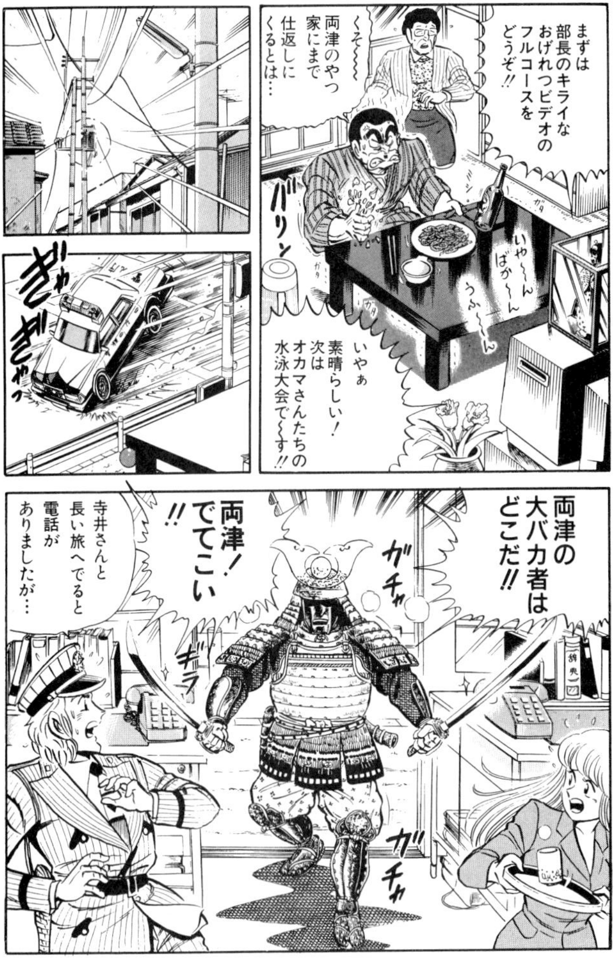
まずは部長のキライなおげれつビデオのフルコースをどうぞ!!
くそ～～
両津のやつ家にまで仕返しにくるとは…
バリン
いや～ん
ばか～ん
うふ～～ん
いやぁ素晴らしい!次はオカマさんたちの水泳大会で～す!!
ぎゃぎゃぎゃっ
両津の大バカ者はどこだ!!
ガチャ
両津!でてこい!!
ギラ
寺井さんと長い旅へでると電話がありましたが…
ガチャ

★週刊少年ジャンプ1990年14号

家《か》電《でん》恐《きょう》怖《ふ》症《しょう》の巻《まき》
なつかしいわね この電話機
本当だ! この形はもう少ないからね
私が学生のころ作った電話カバーよ これ!
そんなに珍しいか! その電話が!

ほとんどがプッシュホンですからね
留守録がついてると便利ですよお義父《とう》さん
実は わしもほしいと思ってるんだ!
旅行で家をあけてる時は便利だと思うからな
お母さんも洗濯機を全自動にかえたら?楽よ!
でも…ね
ひろみもいっとるだろ!わしもかえた方がいいと思う
別に洗濯機はこわれていないし…
うちの母さん結構ガンコな所あるんだ
必要がなければ買うことないですよ
しかし世間では買いかえてるだろ
まあ便利な方が楽ですからね
英夫《ひでお》さんそろそろ!
おっそうか
大介《だいすけ》!さあ帰るぞ
お父さん来週お願いね
いいとも

じゃあ またね
うむ 気をつけて 帰りなさい
ブロロロロ
母さん うちも 新しい電話に かえるか!?
でも… 不便じゃ ないしね
春の交通安全
先輩
ん
部長が 珍しく カタログ 見てますよ
なに!?

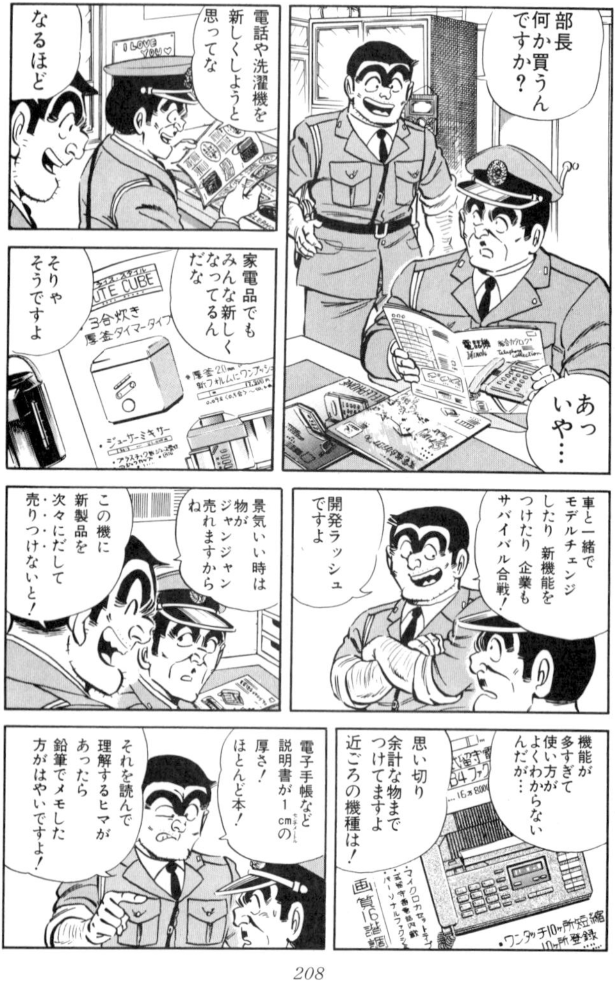
部長
何か買うんですか？
あっ
いや…
電話機
総合カタログ
電話や洗濯機を新しくしようと思ってな
なるほど
I LOVE YOU♡
家電品でもみんな新しくなってるんだな
そりゃそうですよ
3合炊き
厚釜タイマータイプ
ジューサーミキサー
車と一緒でモデルチェンジしたり 新機能をつけたり 企業もサバイバル合戦！
開発ラッシュですよ
景気いい時は物がジャンジャン売れますからね
この機に新製品を次々にだして・・・売りつけないと！
機能が多すぎて使い方がよくわからないんだが…
思い切り余計な物までつけてますよ
近ごろの機種は！
画質16諧調
・ワンタッチ10ヶ所短縮 10ヶ所登録
電子手帳など説明書が1cm《センチメートル》の厚さ！
ほとんど本！
それを読んで理解するヒマがあったら鉛筆でメモした方がはやいですよ！

私の友人で電池交換でいっぺんに全部はずしてしまいデータを消した悲惨なやつがいます
4時間もかかって入力した200人分の電話番号と1年分の予定表《スケジュール》が0.01秒でパアですよ
何かあったらすぐ私にきいてください
格・安・でアドバイスして差し上げます
おや?
キッ
警視庁
おむかえに上がりました
うむ!
今日は早引きですか? 部長
これから娘夫婦の所へ留守番にいく! 二人の子どもがいて育児が大変だからな
たまには夫婦二人きりで食事でもいかせてやろうと思ってな!

やさしぃのね部長さん
いやぁそうかね
そのやさしさの1/10でも部下にほしぃもンですよ!
先輩!!
大切な仕事ほっぽらかして孫とおたわむれとはさぞご満足のことでしょ
けっこうなご身分ですねあやかりたいもんですよ
はやく出発しろ!
急に若い人に理解を示したり新製品に興味持ったり…
このごろの部長 変わりましたね
部長は頑固に見えて若い連中の動向や世の中の流れを気にするんだよけっこう!
わしのゲームボーイを時々やりたそうな眼で見てる時がある!
その点 うちの親父は本物だぞ!若いやつ見るといきなり腹を立てひっぱたくからな!
そ それはちょっとひどいかも知れませんよ……

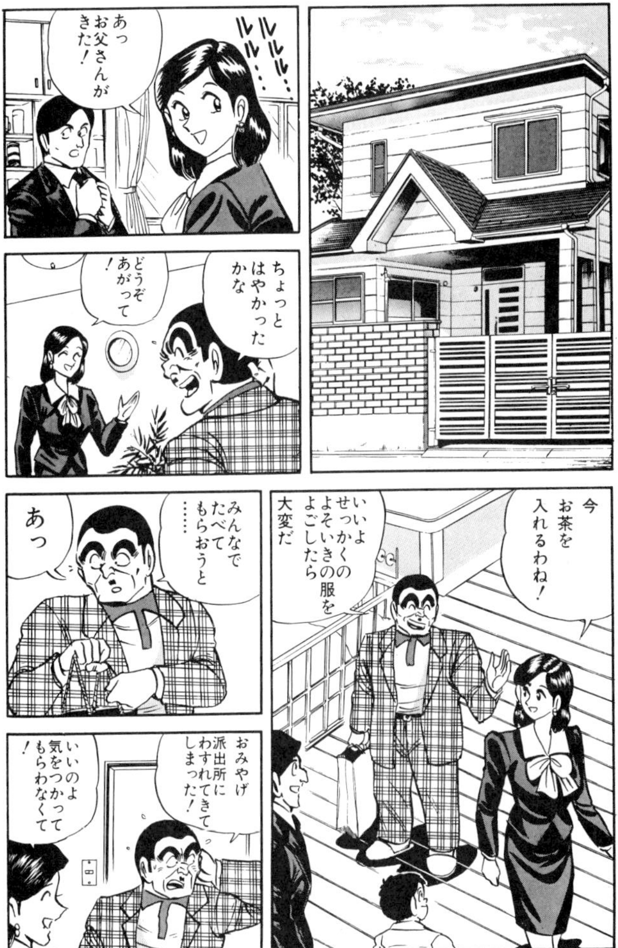
ルルルル…
ルルル…
あっ お父さんが きた!
ちょっと はやかった かな
どうぞ あがって!
今 お茶を 入れるわね!
いいよ せっかくの よそいきの服を よごしたら 大変だ
みんなで たべて もらおうと……
あっ
おみやげ 派出所に わすれてきて しまった!
いいのよ 気をつかって もらわなくて!

英夫くんに たのみが あるんだ
なんです
いい ステレオが あったろ この家に!
それで ちょっと かけて ほしいんだ
この レコード なんだが
ヘイ・ポーラ
わしの家の プレイヤーは 音がひどくなって きた 針が寿命 かも知れん
えっ 私の プレイヤー まだ使って るの?
お父さん 物持ち いいわね
中学入学の時 買った記念 だからな!
残念ですが きけませんよ これ!
えっ
CD《コンパクトディスク》と カセットしか 使えないんです このコンポは
レコード プレイヤーは 別売りで 昔 でてましたが…
「レコード店」なんて名前 のみで CDしか売って ないんですよ ぼくも 仕方なく レコードを 処分して CDで 集めてるんです
そうか… このステレオで きけんのか

レコード針もだんだん少なくなってますからはやく買っておいた方が…
レコードは時代遅れになってるのか……
お父さんこれ桜子《さくら》のミルクねよろしく
おっそうか
かわいい顔してぐっすりねとるな
おむつやガーゼはベッドの下よ!
くわしくはメモに書いてあるわ!
お義父さんいそがしい所本当にすみません!
いやあ気にするな
ベビーシッターをたのむと高いんですよ今は!
近くに住んでるんだいつでもくるよ!
じゃあいってきます
バイバイ
いってらっしゃい

おじいちゃん一緒にファミコンやろうよ!
いやあおじいちゃんヘタクソだからな!
おっこれが留守番電話か!
カタログで見るよりいろいろな操作ボタンがついてるぞう~~むむ…
何かさわるのこわいな
ルルルルル
なんだこの音は!
ルルルルル
電話だよ!ちょっと待って
ピピッ
きりのいい所でストップ!
はいはいあっケンちゃん
ピッ
コードがない?
ぼく留守番なんだよ!今日
そうかん——っじゃあこれからいくよ!
ピピッ
ズューーン

おじいちゃん ごめん! ちょっと でかけてくる
えっ
友だちの家か?
うん! すぐもどるよ
え――と 受話器はどこにおいてあったかな
ここにも受話器があるし…
ズギューン
ドドド
うわっ なんだ!
突撃!! マッキーバー!
ドドドーン
ドガーン
突然大声になった!? リモコンはどこだ!!
ガガーン
ふぎゃあ
ふぎゃ
子どもがおきる! はやくリモコンを!!
あった! ゲーム機の下で押されている!
え――と 音量は… 字が小さくてよく見えん
ぎゃあ――っ
ドドドド
これかな? いや これか?

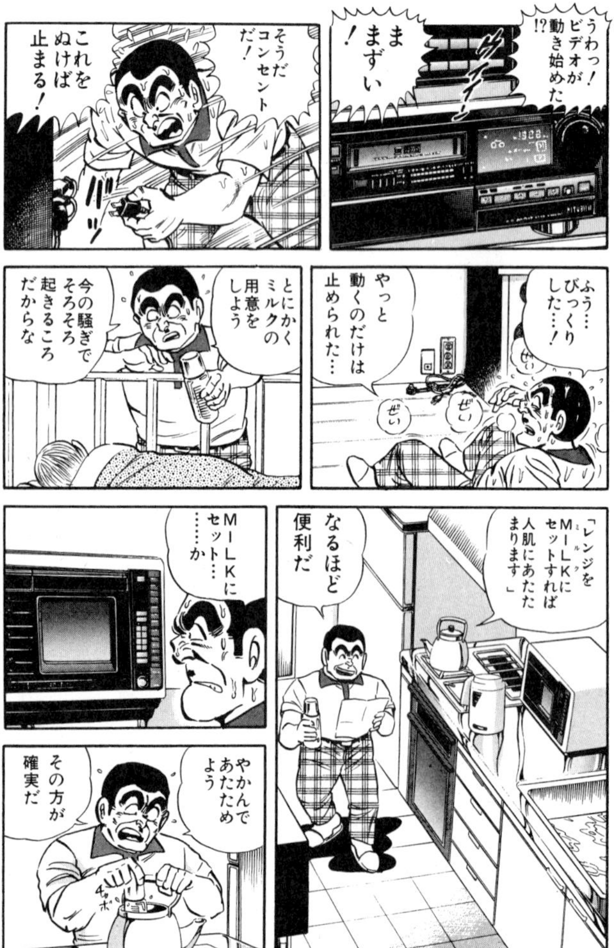
うわっ! ビデオが動き始めた!?
ま まずい!
そうだ コンセントだ!
これをぬけば止まる!
ふう… びっくりした…!
やっと動くのだけは止められた…
ぜい
ぜい
とにかくミルクの用意をしよう
今の騒ぎでそろそろ起きるころだからな
「レンジをMILK《ミルク》にセットすれば人肌にあたたまります」
なるほど便利だ
MILKにセット……か
やかんであたためよう
その方が確実だ

ヴイイーン
ザー
なんだ！
急に!?
ビク
突然
水がでて
きたぞ!?
ザー
大変だ
水が
あふれて
しまう！
ザー
これで
よし
キュッ
どうも
見なれぬ
電気製品が
あると
勝手が
ちがうな
今の若者は
みんな
こういう所で
生活してる
わけか
ルルルル…
カシャッ
はい角田《かくた》です
ただ今 外出中
です
ピーとなったら
メッセージを…
うわ！
電話から
声が!?
はい
角田の父
ですが？
もしもし！
おかしいな
スイッチが
……
ピッ
ピッ
ぬおっ
FAX《ファクス》が
動いた
!?
ヴイイー！

ふぎゃあ ふぎゃあ
大変だ 桜子にミルクを!
ふぎゃぁぁ
オロ
オロ
オロ
ガガガ
しししかし FAXが…!!
ピロロロロ~
ツー
ピロロロ~
だめだ連絡とれん 電話がFAXに切りかわっていやがる
ガチャ
きっと 部長 ひろみさん家《ち》でパニックになっているんだ!
わすれていった おみやげ どうするの?
仕方ない わしが 自転車で 届けに いくよ!
だから ちゃんと アドバイスして やるって いったのに!
まったく!

ふう…やっと落ちついた！
ルルル…
ルルル…
ん!?電話か？
もしもし何!?両津か？
ちょうどいい！すまんが娘の家にきてくれんか？
え!?
家の前にいる？
目の前にきてるんですよ
角田
はやく玄関の鍵あけてください
家の前に電話があったか？
インターホンとしても使えるんですよ近ごろの電話は
はいわすれたおみやげ
すまんなわざわざ！
ちょっとどいてください
まずFAXを電話に切りかえて
カチャ
これでよし
受話器もこんな所においちゃってまったく

コードレスホンは台の上にのせて充電しておかないと使用不可能になりますよ
知らなかったすまん!
コンセントをすべてぬいたんですか
全部動きだしたからな…まずかったか!?
電源を切ると時刻も予約もすべてパアですよ テレビについてるスイッチを切りゃよかったのに!
リモコンいじくり回したでしょう!? 5機種対応のリモコンだからどれもこれも作動しちゃったんですよ
もしかしてタイマーがセットされてたかも知れませんよ
ど…どうしよう!
あいつはマメなやつだから…
チェックしているはずだ
パ
パ
あったこれか
プロレス
45 番組案内
00 レディース
大塚駅
00 スチャラカ社員
ミヤコ蝶々 横山エンタツ
中田ダイマル・ラケット ほか
00 アイドル伝説 光
伊集院光
30 スーパーネットワ
00 旅・風・バイク
寺崎つとむ
えーーとこれだな
スチャラカ社員
120分テープに2作ずつか…
標準《エスピー》モードでP《ピー》.M《エム》.5:00…と
これでよし!
よかった!

ほかに手をふれた物は？
洗濯機の水を止めたが…
あ――あ タイマーセットしてあるのに止めちゃって！
予約をしなおして…洗い方のコースをセットして水位切り換えを低くして…と
私がきたからよかったものの二人帰ったら家中メチャクチャでおどろきますよ
実にたよりになるよ さすが両津だ！まっ お茶でもどうぞ！
トン
近ごろのスイッチ類はふれただけで作動しますからね
「君子《くんし》危《あや》うきに近寄《ちかよ》らず」ですよ
ズズ…
ただいま！
あっ両さん
よう
やったね！ドラクエおしえて！解いたんでしょ！
いいともおしえてやるよ
仕事はやらんくせにこういうことは器用な男だ…
わしは10時間で解いたぞ 世界一はやい男だ
すごいなあ

レコード針どうしたんです?
英夫くんがレコード店で見つけてきてくれたんだ!
今となっては貴重品らしい
なおるんですかそのレコードプレイヤー
ちゃんときけるはずだ
今 家に帰った所だ! 楽しく食事できてよかったな
来週また遊びにくる? わかった 待ってるよ!
ふだんはなんとも思わんが…
使いなれた物は なかなかいいな! 安心するよ

あらなおりましたねお父さん
針をとりかえたら生きかえったよ
新婚時代よく この曲をきいたな
そうでしたね
あら!?
カタログが!
どうしたんですあんなに一所懸命見てたのに
買うのはあとにしたよ
今の生活に満足していれば無理に背伸びする必要はないものな!
もううつり気なんだから! 勝手な人ね!

★週刊少年ジャンプ1990年19号

暴《ぼう》走《そう》機《き》関《かん》車《しゃ》の巻《まき》

20
はっ
はっ
はっ
はっ
はっ
はっ
はっ
UGG DRINKS
HOT COLD
ちょっとガソリンを補給!
近道をしよう!

よっ
よっ
よっ
ラストスパート!!
キイイーン
ゴール
春の交通安全
亀有公園前派出所
ズザザッ
あれ?自転車は?
チェーンが切れて修理に出てる
あれ部長はまだきてないのか?
今日は「星と宇宙の博覧会」の開会式に出席してますよ

そうだった！くそ！
あわててくることなかった！
バン
両ちゃんあてにDM《ダイレクトメール》がきてたわよ
なに！
あっ丸山《まるやま》のやつ店出したのか
ビアガーデン誕生
シーイレブン
本日開店
ビール祭り
知り合いですか！
模型仲間だ個人で実物の機関車を買いやがった大バカ野郎だ
わしは中古の戦車を買った方がいいぞとすすめたんだが…
ん？
あっ！
ビアガーデン
シーイレブン
ビール祭り
ビール券

やったあ
ビールの
タダ券だ
あいつ!
いいやっ
だな!
昼から営業
してるぞ!
中川!すぐ
飲みにいこう
!
ゲイ
勤務中は
まずい
ですよ
!
ちぇっ!
かたい
やつだな
じゃ
麗子!
おごって
やるから
こいよ!
何考えて
るのよ!
昼間から
そんな
バカなこと
しないわよ
バカな
こととは
なんだ!
きさまら
頭がかたい!
だから日本人は
なめられるんだ
!
イタリア人を
見ならえ!
朝からワインを
ガブガブ飲ん
でるぞ!!

それは
お国柄の
ちがいよ
日本じゃ
まだ
そういう
風習は
ありません
冷静な
言葉で
否定しや
がって!
いいよ
わし一人で
いくから!
ダッ
あいた
!
ドダッ
そうか
自転車は
ないんだ!
条件
反射で
つい…
ビアガーデン
シーイレブン
ビール
C11 162

C《シー》11がかざってあるのか
よう両さん!きてくれたかい!
タダ券につられてきた!
お前のC11可動するんだろ
いなかの庭でN《エヌ》ゲージのように走らせていたからな!
てっきり店の中を走らせるのかと思ってたよ!
東京じゃそんなスペースないよ!
いいかおどろくな!
機関車ビール
大ジョッキ ¥400

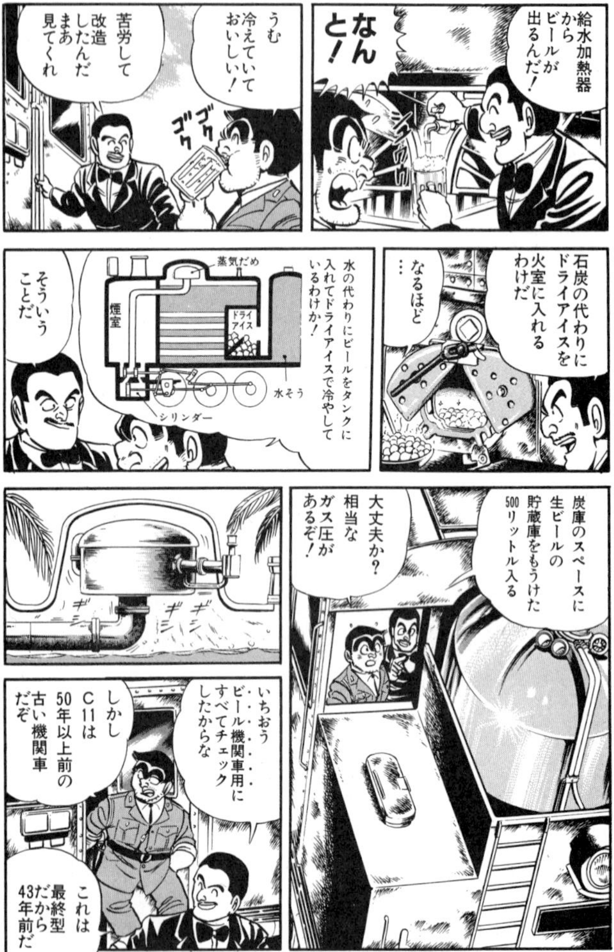
給水加熱器からビールが出るんだ!
なんと!
うむ 冷えていて おいしい!
ゴク ゴク
苦労して改造したんだ まあ見てくれ
石炭の代わりにドライアイスを火室に入れるわけだ
なるほど…
水の代わりにビールをタンクに入れてドライアイスで冷やしているわけか!
蒸気だめ
煙室
ドライアイス
水そう
シリンダー
そういうことだ
炭庫のスペースに生ビールの貯蔵庫をもうけた500リットル入る
大丈夫か? 相当なガス圧があるぞ!
ギシ ギシ ギシ
いちおう…ビール機関車用にすべてチェックしたからな
しかしC11は50年以上前の古い機関車だぞ
これは最終型だから43年前だ

シュウウウウ
何か音が聞こえなかったか?
いやべつに
ドイツ産のソーセージもたくさん用意してあるぞ
よし飲もう飲もう!
シュウウウウ
シュウウ
ギギ…
客が増えてきたな取材も結構きてるぞ
雑誌で宣伝されれば店の前に列ができるよ
ギシ
ん!?

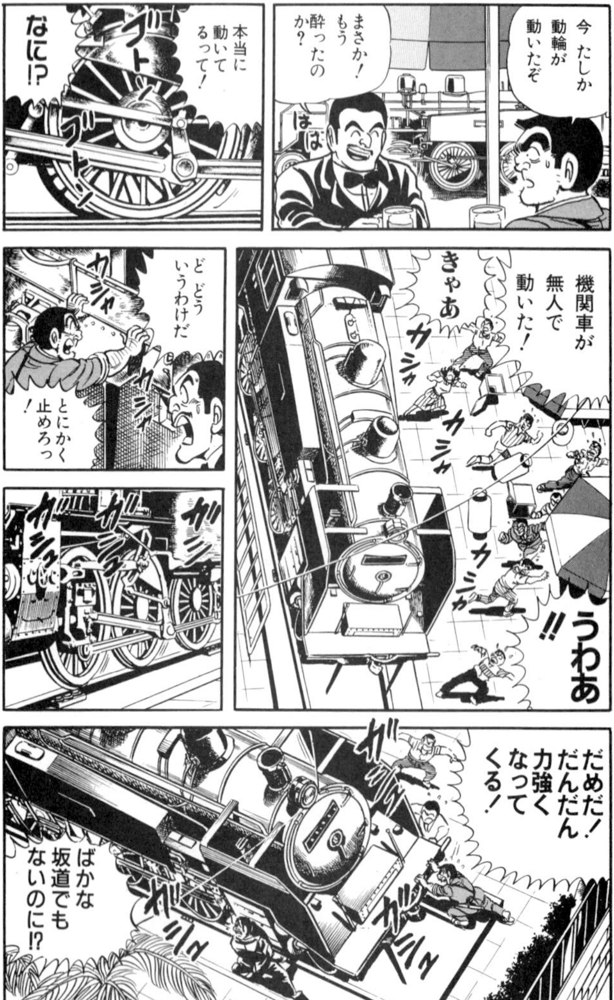

今 たしか動輪が動いたぞ
まさか！もう酔ったのか？
はは
本当に動いてるって！
ゴトン ゴトン
なに!?
機関車が無人で動いた！
きゃあ
カシャ カシャ カシャ
うわあ!!
どどういうわけだ
カシャ
とにかく止めろっ！
ガシ ガシ ガシ
だめだ！だんだん力強くなってくる！
ばかな坂道でもないのに!?
ガシ ガシ

ガタッ
あぶない！どけ！外へ出るぞ!!
うわっ
ひゃあ
ドガガッ
シュオオ
完全に自走してるぞ！
ガシュ
そんなバカな！
ガシュ
ひえっ
ガシュ
ガシュ
ガシュ
うわっ
ギギィ
ギイィッ

生ガスが蒸気管の中に流れたんじゃないのか！
え!?
元々 水を熱し蒸気の圧力でピストンを動かすわけだろ！
炭酸で空気を圧縮すりゃ同じ原理だぞ！
まさか？ビールで!?
圧縮空気でピストンを動かして走るおもちゃもあったくらいだからな！
ガ
シュ
しかし それでこんな大きいのが動くなんて信じられん!!
信じるも信じないも実際走ってるんだ！どうすんだよ!?
ガ
シュ
丸山!! ハンドル切れぶつかる！
Nゲージ.プラ
鉄道模型
ジオラマ有ます
ガ
シュ
ガ
シュ
汽車にハンドルはない！直進のみだ!!

暴走機関車です!!
商店街の店をこわしなおも爆走中!!
商店街大売出し
曽根製作所
パーマ うずしお
星と宇宙の博覧会
EXPO'90
今日は好天にめぐまれて
星と宇宙の博覧会
EXPO'90
絶好の開会日和《びより》です
初めに開会式のあいさつを会長さんから!
パチパチ
パチパチパチ

子供たちの夢をのせたこの星と宇宙の博覧会
今回は葛飾署《かつしかしょ》のみな様方にたくさんのご協力をいただきました
天気がよくて本当によかったですね署長!
いい開会日になったな
カーンカーン
カーンカーン
踏切注意
ピィイイイイ
おや!?
やけに踏切のあたりがざわついてるな

ガシュ
ガシュ
ガシュ
ガシュ
ガシュ
うおっ
なんだ今のは?
道路を機関車が通過した!?
ガヵ
ガヵ
なんとかはやく止めろ!
ブレーキがこわれてるんだ!
ボイラーの安全弁をあければいいだろ!
さっきからあけてるんだが!ダメだ!!
振動でますますガス圧が強くなってる!
あっ

宇宙博の会場だ！やばい!!
EXPO'90
シャレにならんぞこれは！
あそこには部長や署長がきてるんだぞ!!
蒸気ドームをぶっこわしてでも ストップさせる！
こらっこわしちゃだめだって
ガァン
ガァン
それでは葛飾署の方々にテープカットを！
パチ パチ
パチ パチ
パチ パチ
パチ パチ
パチ パチ
やけにさわがしいな
キャー
ワー
オープン
うわっ機関車が!?
EXPO
ガシャン
ガシャン
ガシャン

間に合わん
わしは
離脱する！
ダッ
あっ
両さん！
オレも
にげよう！
ダッ
ドガガッ
ひええ
パビリオン
が!!
ガシャ
ガシャ
ガシャ
ガシャ

ドドグヮ
なぜ機関車が!?
信じられん……
あっあいつは?
両津か?あんな所になぜ?
答はひとつですよ!!
こら!両津!犯人はお前だな!
あっしまった!
ガッ
丸山のやつ自分だけにげやがった!
こっちへこい!
この男です機関車で会場へつっこんだやつは!
なんだって!
なんてことを!

ちがうんですよ部長！
はなしてください
ちゃんと理由があるんですこれには！
どんな理由だ！
これこそ星と宇宙にあわせて夢をのせて走ってきた「銀河《ぎんが》鉄道」なんですおどろいたでしょ！
多少 登場の仕方が荒っぽかったけれども 私も宇宙博に協力をしてるのです！
あら両ちゃんは
種子島《たねがしま》 宇宙センターにいってる
宇宙博のイベントでな日本人で最初に宇宙へとぶことになったんだ無酸素で気象衛星に縛りつけてな！

★週刊少年ジャンプ1990年26号

秘《ひ》薬《やく》リョーツG《ジー》P《ピー》X《エックス》の巻《まき》

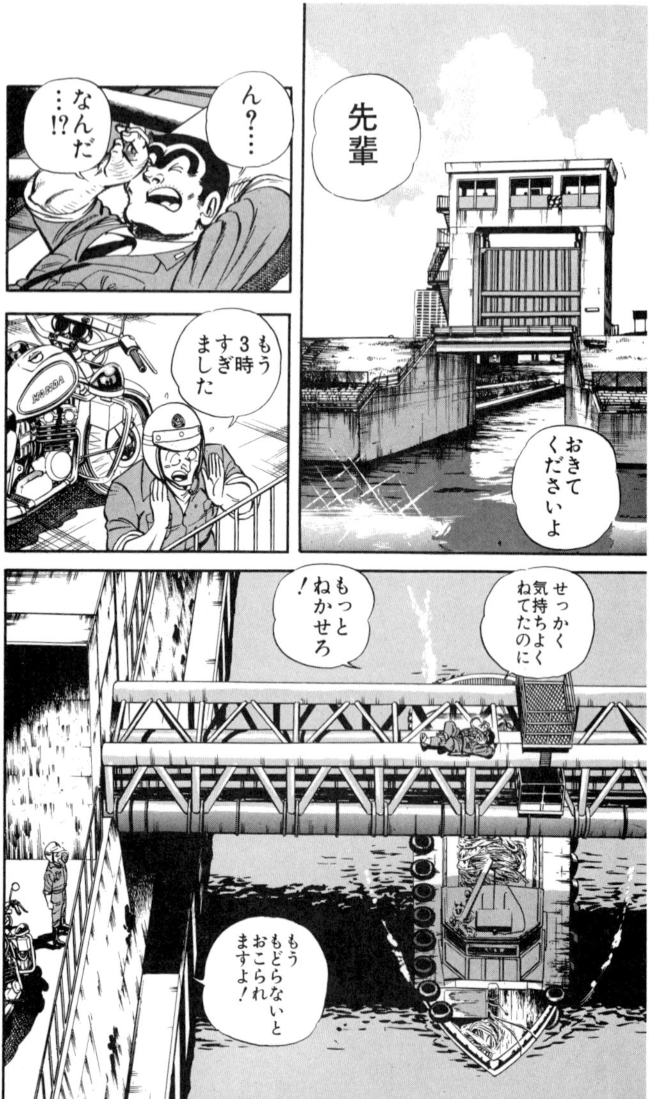
先輩
おきてくださいよ
ん?……
なんだ…!?
もう3時すぎました
せっかく気持ちよくねてたのに
もっとねかせろ!
もうもどらないとおこられますよ!

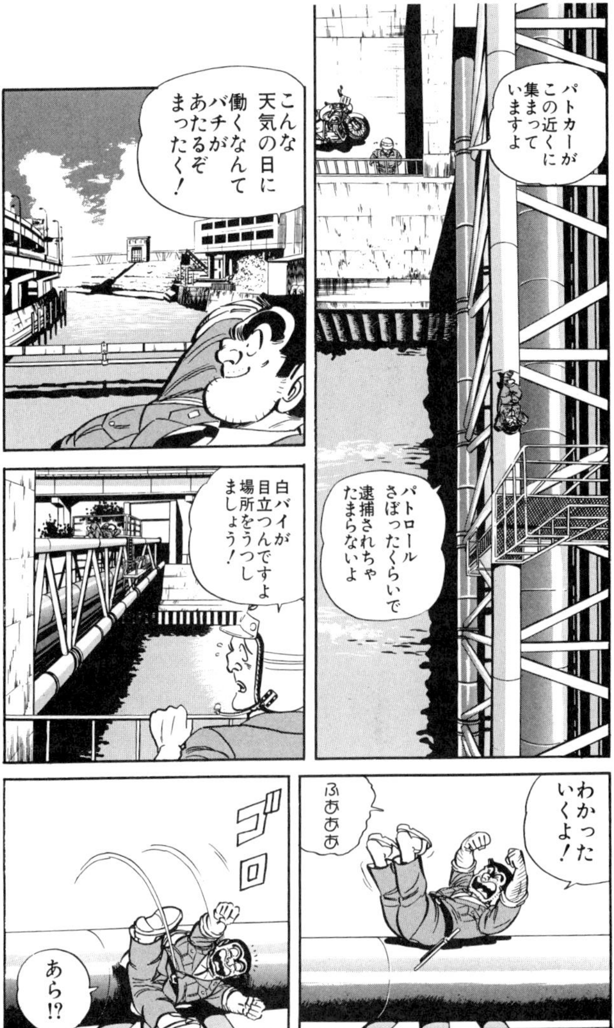
パトカーがこの近くに集まっていますよ
こんな天気の日に働くなんてバチがあたるぞまったく!
パトロールさぼったくらいで逮捕されちゃたまらないよ
白バイが目立つんですよ場所をうつしましょう!
わかったいくよ!
ふあああ
ゴロ
あら!?

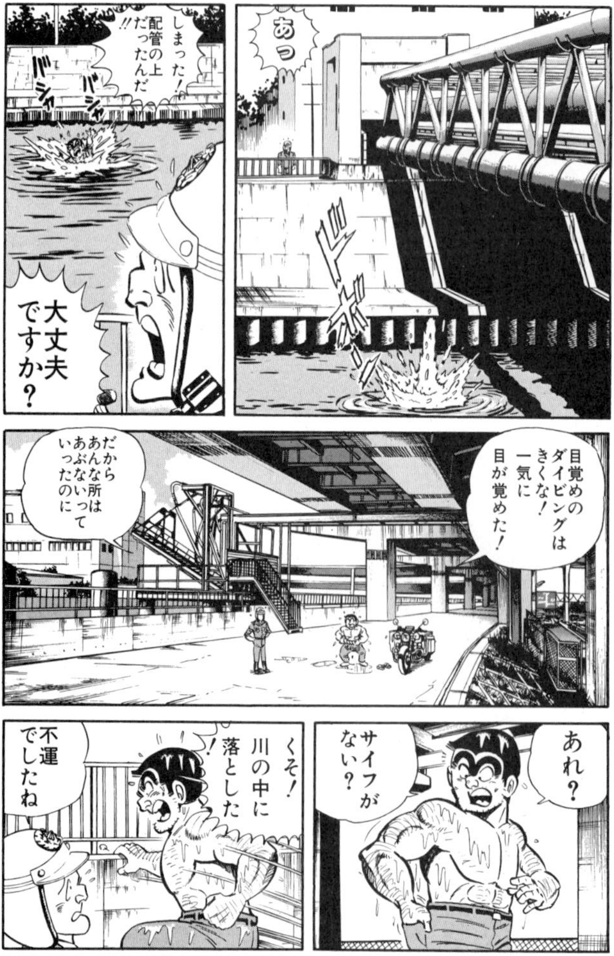
あっ
ドボッ
しまった!
配管の上だったんだ!!
バシャ
バシャ
大丈夫ですか?
目覚めのダイビングはきくな!
一気に目が覚めた!
だからあんな所はあぶないっていったのに
あれ?
サイフがない?
くそ!
川の中に落とした!
不運でしたね

ぜったいさがすぞ!!
あっ
信じられない行動をとるな…
体とお金とどっちが大事なんだろ
どうしたのびっしょりじゃない?
川にちょっと落ちてな!
二度もとび込むんですよサイフ落としたって…
まあ!それで見つかったの?
おや
川底のヘドロの中で発見したまっ黒で見つけにくかったよ
水中メガネもつけずによく…

プァーン
プァーン
プァーン
パトカーだ
やけに今日は多いな!
さっきも土手の周りにたくさんいましたよ
先輩また何かやったんですか?
わしは知らんよ!!
キイ
大変なことになったぞ
どうしたんです部長!
河川敷のゴルフ場の除草剤が川に大量に流出したんだ
えっ
あたり一帯汚染されて大変な騒ぎになってる所だ

水門近くのゴルフ場のことですか？
そうだ！知っているのか？
そこで さっき泳いでいたんですよ先輩！
なんだと!?
なんでそんな所で泳いでいたんだ!?
初めは落ちちゃって！そのあと川に落ちたサイフをさがしに潜って…
そういえば魚がプカプカ浮いてておかしいなと思ったんです
なんてことを…
一時間くらいサイフをさがすのに潜ってましたよ
欲深いやつめ…
体調はどうなの？
いや別に…
なんか…そういわれると…気分が…
まあ大変！
救急車をよばないと！

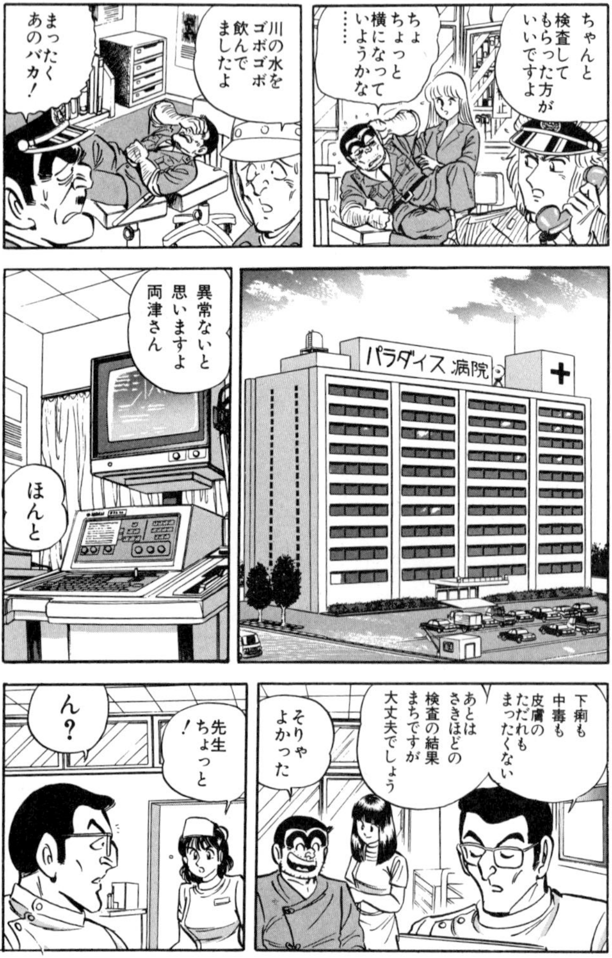
ちゃんと検査してもらった方がいいですよ
ちょちょっと横になっていようかな……
川の水をゴボゴボ飲んでましたよ
まったくあのバカ!
パラダイス病院
異常ないと思いますよ両津さん
ほんと
下痢も中毒も皮膚のただれもまったくない
あとはさきほどの検査の結果まちですが大丈夫でしょう
そりゃよかった
先生ちょっと!
ん?

なんだって!
両津さんそのままでまっててください
はい
研究室
バタッ
新種の抗体ですって!?
うむ両津勘吉氏の検査をしていたら見つかった
知っての通り人には健康な状態を維持しようとする生体防御機能が備わっている
これがあるから多少のことでは病気にならない
異物が侵入してもこの抗体が体を守ってくれるわけだ
抗体は大体同じ形をしている

しかるに両津氏の抗体は
このような形をしている!!
なんと!!
信じられん まるで まんがの バイキン みたいだ…
異なる構造なので くわしく 調べてみたら こうだった…
ガヤ
ガヤ
おどろくのは はやい!
この映像を見ろ!
ピッ
この抗体にウイルスが近づくと…
一触即発 一瞬にして やっつけて しまう
ものすごい恒常性維持機能だ!
なんてはやさだ
ガヤ
ガヤ
恐ろしい抗体だ…

カゼなどで入るウイルスに対抗するため抗体が作られるその間カゼの症状がつづくわけだ…
彼の場合それがない！どんなウイルスでも勝負にならん！
超万能のどんなウイルスもかなわないワクチンができるぞ！
史上最強のワクチンだ!!
なぜこのような特殊な抗体が生まれたのでしょう
私が思うに…
初めはリンパ球から普通の抗体が産出されていたのだろう
さらに強い抗体が生まれ…
またよごされいためつけられ…
リンパ球は その汚さにたえる 鍛えられた抗体を産出し…
しかし よごされ汚く最悪の環境になり…
二度と立ちなおれないほど地獄のような状態になっても…
火の鳥のごとく…
ボコ…
ジャーン
なん度も復活して…史上最強の抗体が作られたわけだ！
悪環境の地獄から這い上がった抗体だ そうとう強い！
ぞ〜〜〜

彼の今までのデータによると…
パラッ
注射ぎらいで予防接種を一度もしたことはない…にもかかわらず！
30数年間病気などまったくなし！
オーオーすごい！
すべてはこの抗体があってこそだ！
ババッ
すごい！
カゼの特効薬が作られたらノーベル賞ものだ!!
ワーッ
彼をこの病院から帰してはいかん！
お食事をどうぞ！お気にめすかわかりませんが…
急に親切になったな
何かかくしてるだろ？
ドキ
いいえ…べつに…
いえ！こら！
ひいっすいません!!

両津様の
抗体が
大変珍しい
物なので…
再検査を…
やはり…
そんな
ことだと
思った…！
よけいな
ことまで
調べるんじゃ
ない！
ドド
うわ
ガ
異常
なしなら
用はない！
帰る！
帰っちゃ
いかん
！
君には
もっと
協力して
もらう！
あっ
くそ！
だれが
そんなもん
協力するか
！
おとなしく
しろ！
ばか
やろう
ふざける
な!!
ドガ
はなせ！
ちくしょう
!!
みんな
つかまえ
るんだ!!
にがし
ちゃ
いかんぞ
!!

そのビッグニュースはいちはやく日本中に流れた
風邪の特効薬発見!!
ノーベル賞並の出来事
両津氏の体中
薬発見
両津はここにはいませんよ!
ガヤガヤ
もう帰ってください
マスコミが毎日きて大変な騒ぎですね
まったくだ!
ガヤガヤ
ひょんなことからとんでもない発見になったな
思いあたるフシもありますね
スーパーワクチン
子供のころから平気でドロや葉っぱをたべていたといってたし…
犬のフンも勇気だめしにたべたことがあるといってました
小学生のころ大阪《おおさか》まで歩いていったと聞いたわ
大阪まで!!
毎日30キロくらい走り回ってたといってましたからね毎日が体力の限界にチャレンジしてるようなもんですよ
大人になっても行動力は変わらないし…
だからこんな抗体ができたわけか…
新発見の抗体

「20世紀最大の発見!!
風邪の特効薬ワクチン」と
世界中の話題になった
それは「リョーツGPX型《ジーピーエックスがた》ワクチン」
と名づけられた
PLAYBOY
World ERO-ERO BOOK
TIM
World News 1990
BIG NEWS
JAPAN
RYOTU
RYOTUGPX
Mr.RYOTU.
お食事の用意ができました
うむ
このホテルのスイートルームもあきたな
明日から別のホテルのデラックス・スイートにしてくれ一泊50万円くらいの部屋にな!
はい
両津様葛飾署からご面会ですが!
通せ!
両津くんおかげで署が有名になったよ
よう!元気か!
私をよぶ時は先生といいなさい
なに!

やならいいよ！協力しないもんね！
ゴロッ
あっ！
先生お気をなおしてください！
なんてことするんです！
人類の将来がかかってるんですよ！
両津先生！本庁より五階級昇進とのことを本日はお知らせにあがりました
当然だよわしのおかげで地球から風邪は絶滅するんだよわしが地球を救うわけだ！
じゃこれで！
あっちょっと！
帰る時はちゃんと「先生失礼します」っていってくれないと！
ぼくちゃんきげんそこねるよ
そんな顔するならいいよ！協力しないから！
ゴロ
あっいいます!!
先生！失礼します
うーむいい気分だ

両津のやつ
図にのり
おって…
バタッ
大原《おおはら》くん
くやしいが
しかたない!
彼は今や
人類の
救世主
なのだから
あんなやつが
救世主なんて
世も末ですよ
その後もわがままは
つづいたが 意外な所に
盲点が発見された
研究室
両津GPX型
ワクチンは使えない
ですって!?
あまりにも
………
強力
すぎるんだ
彼のような
頑強でタフな
体のみ
存在可能な
強烈な抗体だ!!
通常の人に
ワクチンを接種
することは
子供にウォッカを
一気飲み
させるような
ものだ!
なんと…
ガヤ
ガヤ
ガヤ
ガヤ
ガヤ
ガヤ
ガヤ
ガヤ

抗体だけにとらわれて彼の並はずれた体を計算に入れなかった…
そ そんな…
ガヤ ガヤ
他人には使えないとなると全然役に立たんな
ザワ ザワ
せっかく発見したのに!
ダメとわかってからマスコミから一気にたたかれた!
新抗体,本人にしか効果なし!
本人のみに有効!
■他人には
使用不可能なカゼ薬
海外でも大ショック
人類の夢やぶれる。
一般人には使用不可能
えっ 五階級昇進はオジャン!?
当然だよ イメージダウンになったのだから!
最悪だよ!
本庁では五階級落とそうかと考えてるらしい!
くそ…

使えないと
わかったとたん
病院も署も
手の平を返し
やがって！
くそ！
春の交通安全
派出所に
もどるの
気まずいな
……
みなさん！
両さんが
帰ってきま
したよ！
私のこと
おぼえて
ますか？
お前の机は
今日から
そこに
なった
ずん！
両津用
みか
お前のために
署から予算を
とられてな！
二年ぐらい
その机を使え！
じかに
すわると
腰がいたく
なりますよ…
ひえるなァ…
ぼく
体
弱いから
風邪ひくかも
知れないな…
ゴホ
ゴホ
ゴホ
みかん

★週刊少年ジャンプ1990年24号

コードレス・パニック
の巻《まき》

おっす あれ？
仕事をしながら使えるのは便利ですね
あっ コードレスホンになったのか？
ええ 今日から
これも時代の流れだな
派出所も新時代ですよ
おしゃれよね
そんな物買う余分な金があるなら 署員に還元してもらいたいもんだよ！ まったく！
電話より給料が500円上がる方がよっぽどうれしい！
備品などムダな物買わず たとえ10円でも5円でも人件費に回してほしいもんですよ！
ねえ部長！
あいつは無視しよう
ちょっとテストしてみましょうか！

かっぺだな！お前ら！珍しがっちゃって あーっやだ！やだ！
相手にするな！中川！
あっかかった！
ルルルルル
もしもし聞こえる？
おもしろそうだなわしにもやらせろよ
えっ？
感度良好だよ！
ハンディトーキーで話してるようだね
いいからかせって！
チェックメイトキングII《ツー》！
聞こえるかア！
え…ええ！
お前のバカでかい声がそのまま聞こえるぞ！
これじゃ意味がないわ

じゃあはなれて話すぞ!
夏の交通安全
この電話の通話範囲は100メートルだったな
そうよ
じゃ限界までチャレンジだ!
まだ聞こえるか!?
先輩が一番よろこんでいるみたいですね
まだか?
まだ聞こえるか!?
キキィー!!
ぐわっ!
もしもし!!先輩!
何かあったんですか!?
ちょっと…車に…ひかれた!いてててて…
あのバカ!

ちょっとよそ見して大通りへとび出しちゃってあいつつ！
受話器をこわしたらどうするんだ！まったく！
今後は気をつけろ！
人の体より電話の方が大切なのか！くそ！
こんなせまい派出所でコードレスが必要かよ！
無意味な気がする！
またきたのかこのノラ公《こう》！
メシはあと30分後だ！
ルルル
おっと
はい！部長すか!?
ちょっとまっててください
部長！署から電話ですよ

あっ
こら！てめェ！
ん？電話は？
今にげました！
ガサ
ダッ
もし！
ガサ
ガサ
もしもし！
どうかしたのか？
ちょっと雑音が入って！
しずかになったかな？
もしもし大原部長!?

愛している よ 君
えっ？
初めて 会った時から 好き だったんだ！
今夜は 帰さないよ！
そ… そんなこと いわれても…
いいじゃ ないか！ 君！
あの…
私は… そういう趣味は ちょっと…
君を しあわせに するよ
そ そういわれ ましても…
?
やはり… あっ
チーン
ニューヨーク直通番号
ピッ ピッ ピッ

はい ニューヨーク・テレフォン
ミュージックサービスです
そちらの会員番号は？
11111ですね
ＯＫ 24時間
ノンストップで流します
おかしいな
ザッ
このあたりににげたと思ったが
どこかにいっちまったか？
犬が受話器くわえていっただと？
ええちょっとしたスキに！
ルルル
はい
麗子さん？いますよ
麗子さん電話！
どうもありがとう

お昼で春巻き揚げてるところなの!
あらほんと!
ジュウウ
署にそんないいわけできるか!?
きゃあ
どうした麗子!
受話器が天プラ油の中に!!
ジュウウ
油で手がすべって!
ジュウウ
パチ
パチ
あちち近寄れん!
ハシをかせ!
大丈夫!?
けっこうはじけるな!あちっ
パチ
パチ
パチ
こんがり・・・揚がってしまったな
もう使えませんね

ごめんなさい！
両方とも……台だけになってしまった！
なさけない姿だ！
わしの電話の用件はなんだった？
聞く前にとられちゃって！
いちおう署にかけてみましょう
今よび出してます 回線はつながるはずですよ
どうやって話すんだ！
ラジカセのマイクとスピーカーに配線を直接つなげますよ！ ちょっとまっててください！
そんなことするんじゃない！
仕方ない 公衆電話で用件を聞いてこよう
前のプッシュホンのがよかったな こりゃ不便だぞ！
それだけじゃただの発信器ですね

夏の交通安全
はい！
わかりました
じゃ！失礼します
先輩 やはり機械むき出しじゃ使いづらいですよ
そうか
じゃ わしの方の電話使うか
それもちょっと…
おっ部長だ
ギッ
新しいコードレスホンをもってきてあげたぞ
やった！

支給するためのいいわけが大変だった
さすが部長!
今度は失くさないようにわしがつけておいた!
これじゃコードレスホンの意味がないですよ 部長!
ありゃヒモが!
前回の事件で派出所の通話料金が42万円になってしまった!
えっ42万円!?
国際通話になってたらしいおそらく犬がデタラメに番号を押して直通でかかってしまったんだろ
ひでえ犬だ!
犬が受話器をくわえてにげる事件が近くでなん件かあるおそらく同じ犬だ
あいつめとんでもないやつだ

あっ あの犬だ!
はやくつかまえろ!
しっ! あとをつけましょう
ガサ
ガサ
ザク
ザク
ここがお前のかくし場所か!
キャーン
おっとにがさんぞ!
受話器がいっぱいうまってますよ
ここに全部集めていたのか!

これで事件も一件落着だな
まったく人さわがせな…
ん？
私はこの犬におしおきをしときます
まだ何かうまってるぞ？
ザク
ザク
あ!?
警察手帳!?
警視庁
な…なんと！
大原部長のだ!?
そういや数日前に妙に落ちつきのない時があったな…
これはいい物を見つけた
日ごろのお礼ができるな…
ニヤ

さっそく受話器のもち主の元へ連絡しましょう
うむ そうしてくれ
部長 最近落とし物しなかったですか?
いや 別に!?
ドキッ
大切な物を失くしませんでしたか?
別に何も失くしてない
そうですか そりゃよかった
ズキッ
私はまた警察手帳でも落としたんじゃないかと思いましてね
以前 私が手帳失くした時部長にもーれつにおこられましたよね
30分も説教されたあげく台帳で思い切りひっぱたかれました
ちょうどこのあたりですよ!ここ!
あの時のいたみは今でも はっきりおぼえていますよ

みんなもおぼえているよな！わしがおこられた…
うぐぐ!!
もういいだろ！わしの警察手帳を返せ！はやく！
え？私もってるっていいました
とぼけるんじゃない！出せ！
ちゃんとここに！
やはり！
さあ！返せ！
あっ
パッ
見つけてあげたのに「返せ」は命令形でないでしょう！
わ…悪かった両津くんいい子だからそれをわしに返してくれ！
たしか私は部長に土下座してあやまったんですよ
いやああの時はつらかったなあ…

この通り返してください
じ～ん
う～～～む いい気持ち
ポト
今後は気をつけたまえ！
いやあ気分がスカッとした！
これはいいチャンスだ
ほっておく手はない
今までかくしつづけた私のミスを
このさい 犬におしつけてやろう
どこへいくんです？
ちょっとそこまでな！
すべては犬がやったということで丸くおさまる！
犬はしゃべれないから安心だ!!
ザッ
ザッ

亀有公園前派出所
夏の交通安全
あっ
ズズ…
あの犬が現場撮影用のポラロイドカメラを!
なんだと!
ガサ
こっちです
ガサガサ
こっちか!
やばいあいつらがきた!
ガサッ
部長大変です!
こっちへきてください!!
あの場所に部長の湯呑みが!
あっ

私も 今 ここを見て あぜんと しました！
みんな あの犬の しわざです まちがい ありません
部長の 大切な物 ばかり！ とんでもない 犬です
人が スコップで ほったような 穴だな？
あの犬が スコップを 使ったん です きっと
部長
犬が こんな 写真を！
やはり すべて お前の しわざだな こいつ！
ああっ!?
部長！ 警察手帳の ことを ばらしますよ！
手帳なら いつも肌身 はなさず もってるぞ！ なんの ことだ!?
きったね～ ひらきなおった～！ くそ～

★週刊少年ジャンプ1990年28号

それゆけ香港《ホンコン》!の巻《まき》

翔堊羅拳本堂
なに！マリアは香港《ホンコン》に行ってるだと！
麻里稟《マリリン》の所へ一週間行っておる
ダダァッ
ドオッ
まいったなせっかくここまで来たのに！
あぶない
おっと！
ドバッ
ギュッ
ぐわ
ぎえええ
なんとか連絡取れんか？
こっちへ来なさい
すごい身のこなしだ…
つ…強い…

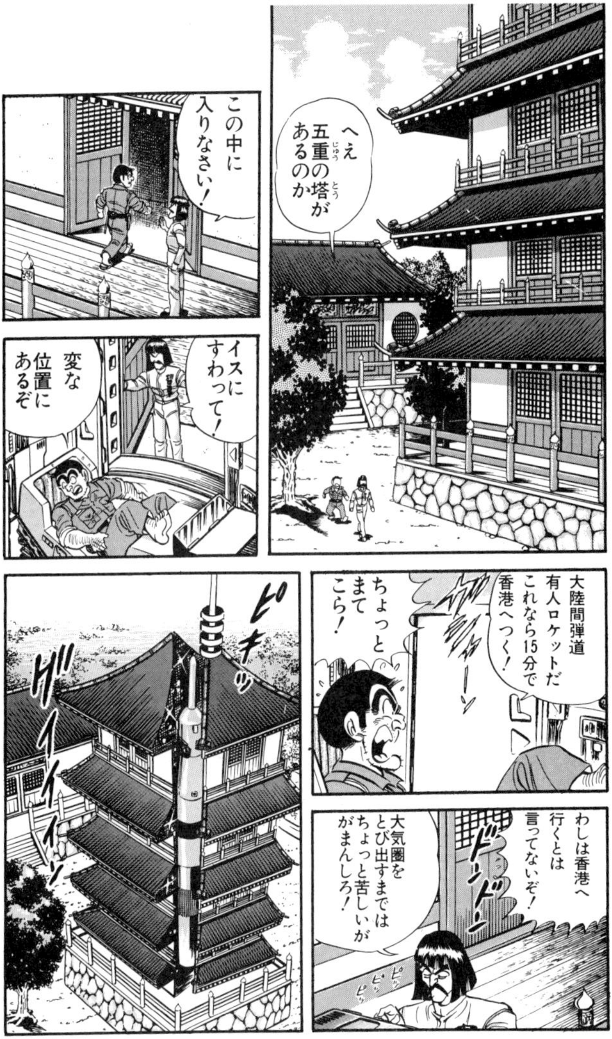
へえ
五重《じゅう》の塔《とう》が
あるのか
この中に
入りなさい！
イスに
すわって！
変な
位置に
あるぞ
大陸間弾道
有人ロケットだ
これなら15分で
香港へつく！
ちょっと
まて
こら！
わしは香港へ
行くとは
言ってないぞ！
大気圏を
とび出すまでは
ちょっと苦しいが
がまんしろ！
ドドーン
ピッ
ピッ
ピッ
ピキッ

わしはまだ勤務中なんだぞ！
無事を祈る！
そんなもん祈るな！
ぐおおお
稟の方にも連絡しておかんとな！
ピピッ

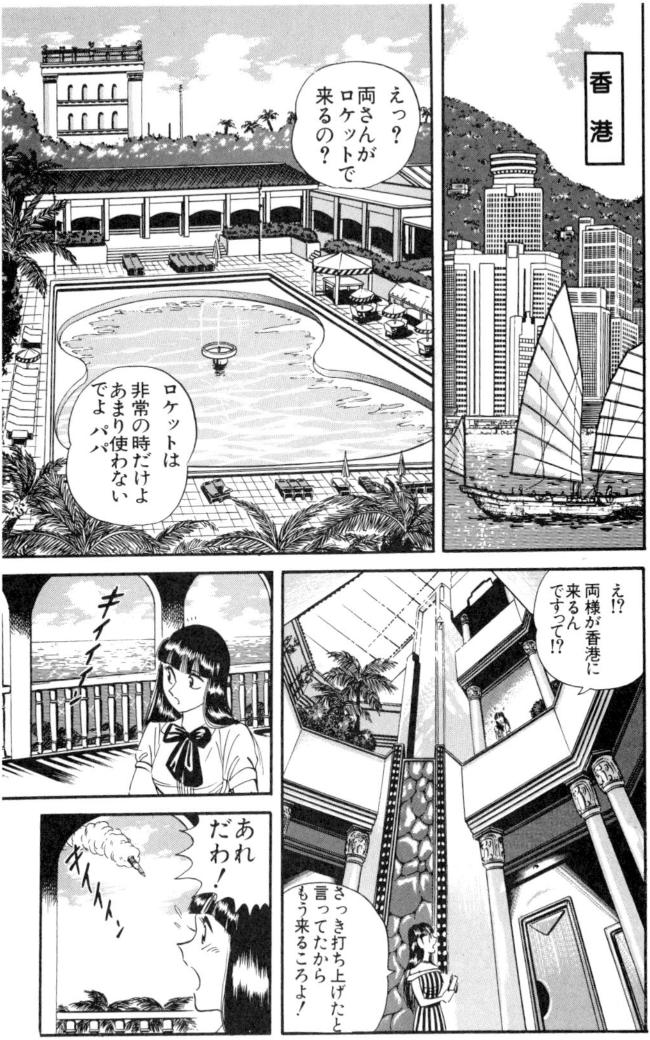
香港
えっ？
両さんがロケットで来るの？
ロケットは非常の時だけよ
あまり使わないでよ パパ
え!?
両様が香港に来るんですって!?
さっき打ち上げたと言ってたからもう来るころよ!
あれだわ！

大丈夫ですか？ 両様！
重圧につぶされるかと思ったぞ！ あいててて…
シュウウウウ…
私の家にようこそ！
りてて
好きで来たんじゃないぞ
ポスターやトロフィーがたくさんあるな！
妹のマリリンは香港では名女優ですわ！
そうか！ どうりでいい暮らしをしてるわけだ
マリアにかりていた金の返済をあと3日まってほしいと言いに来ただけなんだ！
まあそれでわざわざ香港まで！
私と愛《あい》は映画の撮影に行くけれど両さんはどうする？
うーむどうしようかな？

まってるのもヒマだから見学に行くよ!
じゃあのって!
STUDIO
大香港電影
見つけたぞジャネット稟《りん》!
でや!!

でえい!
ぐっ!!
ガッ
ズッ
うおお!!
バキッ
あっ
ガッ

ガ
ギ
ツ
ガッ
ドー
ス
ツ
うわ!
マリアのやつ本気でなぐってるぞ!
香港映画のアクションがすごいのは実戦に近いからよ!
あれで手かげんをしてるのよ!
バキ

よし！
稟
行け！
OK！
稟が
2人に
なっちゃうぞ
いいんだ！
2人でも
おっ こっちからも
ジャネット稟が!?
ぐふっ
くっ
分身の
術か！
シャン
さすが
女忍者だ
逃げろ！

カット！
すばらしい
女忍者の分身だと!?
忍者が活躍する映画なのよ
チャイナ服を着た忍者なのか!?
シェー大杉《おおすぎ》先生がギックリ腰だと！
出演が不可能みたいです
大役なのに…こまったなほかに日本人が…
いた！
わしがボス忍者をやるのか??
あんたの活躍は以前見た事があるすばらしいアクションだった！
野性二人組壮烈活劇
すばらしい忍者だ！
ちょっとまて！
両様！マリリンのためにに協力して！
しょうがねえなあちょっとだけだぞ！

忍者はゲタなどはかんぞ! おい!
うーむ なぜか日本人らしくないなあ
メガネをかけてみようか!
ネクタイもしてみましょう!
カメラもぶらさげてみましょう
こんな忍者がいたらすぐ見つかってしまうぞ
うむ だいぶ日本人らしくなった
セリフはここからおねがいします
がんばってね
わしが忍者の親分霧隠《きりがくれ》門土《もんど》ノ介《すけ》だ!
もっと日本的にならんかな?
監督! 名刺交換などどうでしょう!
いいな! 日本の忍者らしくて!
私このような者です!
どうも! こちらもよろしく!

もう一歩
日本人
らしく
したいな!
この上に
何が必要
なんだよ
!
絵をせおって
みようか!
土地の権利書も
なにげなく
持っていて下さい
私と
一緒に
日本へ帰ろ
う!
カット
すばら
しい!
こちらへ
どうぞ
日本の家を
セットで作り
ました
ガラガラ
そりゃ
すごいな
考証に苦労
しました!
こんな
日本の家は
ない!

日本人は
みな金閣寺《きんかくじ》に
暮らしてると
何かの本に…
金閣寺は
ひとつしか
ないぞ！
なんで
新幹線が
庭を走って
るんだ！
日本の
電車は
みんな この
形でしょう
ちがう！
この監督さん
日本にまだ
行った事が
ないのよ！
だったら
ムリに忍者の
映画なんて
作るなよ！
イメージも
大事なのよ
！
アフリカにも
近代的なビルが
あるけれど
大自然や動物が
いる方がアフリカ
らしいでしょう
そりゃまあ
そうだが…
協力してよ！
ねっ！
この映画を
見たら
ますます
日本が
誤解されるぞ！
食事中
いきなり
敵が来ます
敵？
では日本の
夕食シーン
から
撮ります
ハンバーグと
おにぎりかよ

ザカアアアァ
まて！いったいどういう映画だ!!
メカジゴラ出現！
こういう映画です
日本むけのポスターですけど
SFX
超スペクタクル大ハードアクション
日本忍者VSメカジゴラ
なっとく
わしが火とんの術を使うぞ！さがっていろ！
はい！
祭
御用
バッ
ザバッ
うおっ
ポイ
ばか！いきなりつめたいだろ！

ボッ
ぐわ
ジュウウウ…
あちちち
ダン
だめですよ消しちゃ! 火とんの術でメカジゴラと戦ってくれないと
どこが火とんの術だ ただの火だるまだろ!
火とんの術って燃えながら相手をおどかすんじゃなかったたか?
たぶんそんな感じだと思いますよ
忍者のすべて
マリリンこいつら本当に忍者を理解してるのか?
たぶん知ってると思うけど…
火とんの術なしでもう一度食事のシーンから!
たすかったよ!
メカジゴラこい!
カット
戦う前に日本人らしく全員そろって記念写真!
こんなアクション映画ないぞ!
カシャ

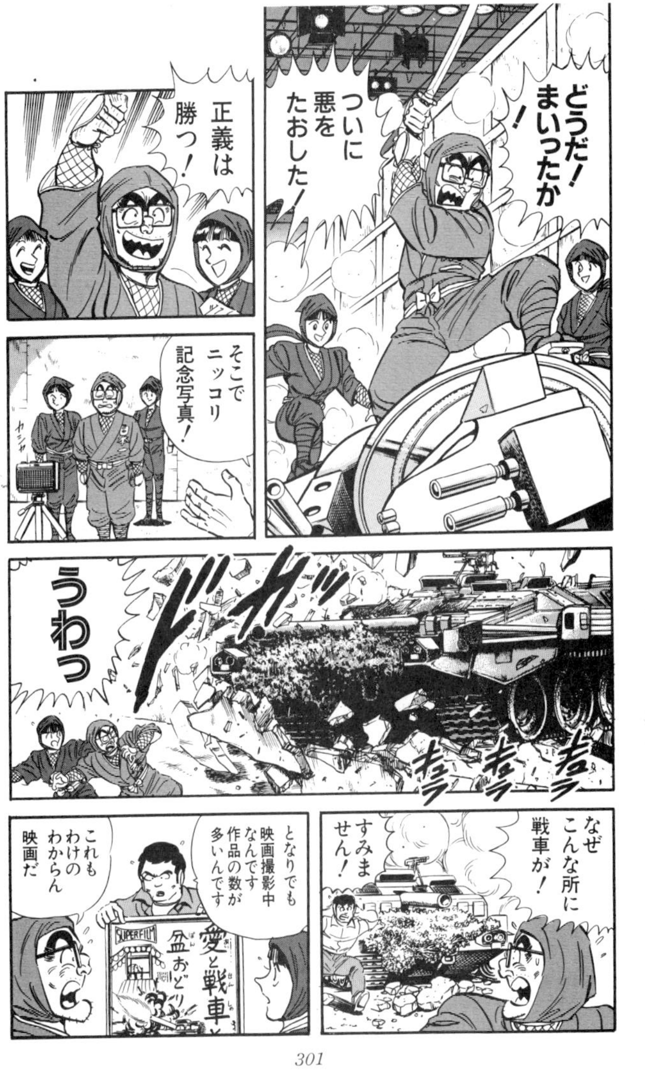

どうだ！まいったか！
ついに悪をたおした！
正義は勝っ！
そこでニッコリ記念写真！
うわっ
ドガッ
キュラ
キュラ
キュラ
なぜこんな所に戦車が！
すみません！
となりでも映画撮影中なんです 作品の数が多いんです
SUPERFILM
愛《あい》と戦車《せんしゃ》
盆《ぼん》おどり
これもわけのわからん映画だ

いやあ大変な撮影だった
麻里稟
刑事
おつかれ様!
私はあと2本撮る約束してるの!
わしはそろそろもどらんといかん!勤務中だからな
ざんねんね!
今度はもっとゆっくりしていってね!
ピッ
すごいなプールの下からロケットが!
いそいでいる時にはこちらの方が早いから!
ウィイイーン
ウィイイーン

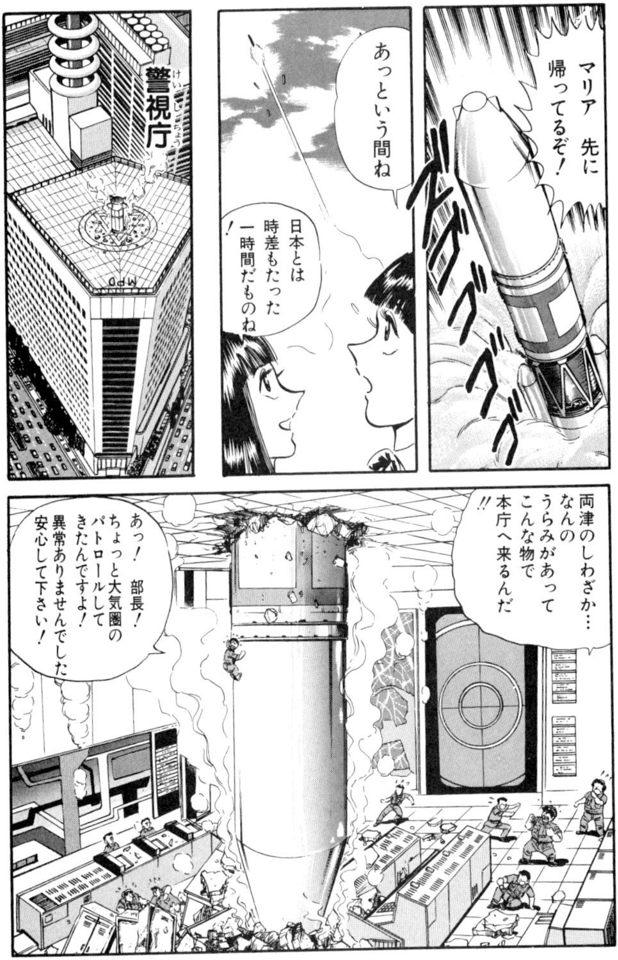
マリア 先に帰ってるぞ!
あっという間ね
日本とは時差もたった一時間だものね!
警視庁《けいしちょう》
両津のしわざか…なんのうらみがあってこんな物で本庁へ来るんだ!!
あっ! 部長! ちょっと大気圏のパトロールしてきたんですよ! 異常ありませんでした 安心して下さい!

★週刊少年ジャンプ1990年34号

激走《げきそう》！
模名古村《もなこむら》三輪《さんりん》レース！！
の巻《まき》
立食そば
質
質屋
オオツカ
大場
BOKKA
ヨシトリー・ビール
レタス
ROBOKON

ジャパン
オールドオートセンター
トヨタ
2000GT
入荷!!
ASK
'60年代の豪華
カー・コレクション
ありましたよ先輩
あったあった!
car
でんわ 03-2
くそ! K《ケー》360か!
だめですか?
600cc《シーシー》のやつがほしいな!
数が少ないですよT《ティー》600は!
何かおさがしですか?
マツダのT600ないかな?

オート三輪だけのレースがあってな小型クラスで出場するんだ!
360ccの車体に600ccのエンジンつんだパワフルなT600が出てたろ!
ありますよ極上のT600が!
なに本当か!?
これです
あっ
エンブレムだけ変えたニセ物じゃないだろうな!
とんでもない正真正銘の本物です!
荷台がK360より少し長くなってるでしょう!
エンジンもきれいにレストアされてますよ先輩
そりゃもう前のオーナーがオート三輪マニアでしたから
サスなどパーツ類も新品ですよこれなら使えますね
うむ!これにきめるか!

おやじ!いくらだこれ?
これほどの極上品は日本中さがしてもありません最後のチャンスです!
しかしほしがってる人がたくさんいましてね売るとなると…
どーしよーかなー
書け!
はい
小型ながらミッドシップで4《フォー》ストV2《ブイツー》で20馬力もでますし…
これでどうだ
中古車センター様
¥5,000,000
げっ 500万円!!
まだしゃべることあるか?
とんでもない!!お客さんに買われてT600はしあわせですよ!!
あ 車検証と登録の手つづきを…
レース仕様にするからそんな物はいい!
このまますぐもらっていく!
ウイイイ!!

いいマシンが手に入ってよかったな!
趣味にはいくらお金をかけても惜しくありませんね
まるで日本の企業のような買いっぷりだ何者なんだろうあの人たち?
第一回模名古《もなこ》村グランプリチキチキマシン三輪《スリーホイラー》バタバタレースの始まりです!
全国からオート三輪愛好家が自慢のマシンを駆って30台が出場しています!!
第1回 模名古村グランプリ チキチキマシン3輪バタバタレース
東京5チャンネル
レースは模名古村を一周し はやくゴールインしたマシンの優勝です
カーブの多いコースをオート三輪でどこまでせめることができるでしょうか
22
11
中・大型三輪はハンデとして最大積載量の荷物を積んで走行してもらいます
5K
大型 1000cc以上
中型 1000cc以下
小型 600cc以下
エンジンはすべてオリジナルを使用します!

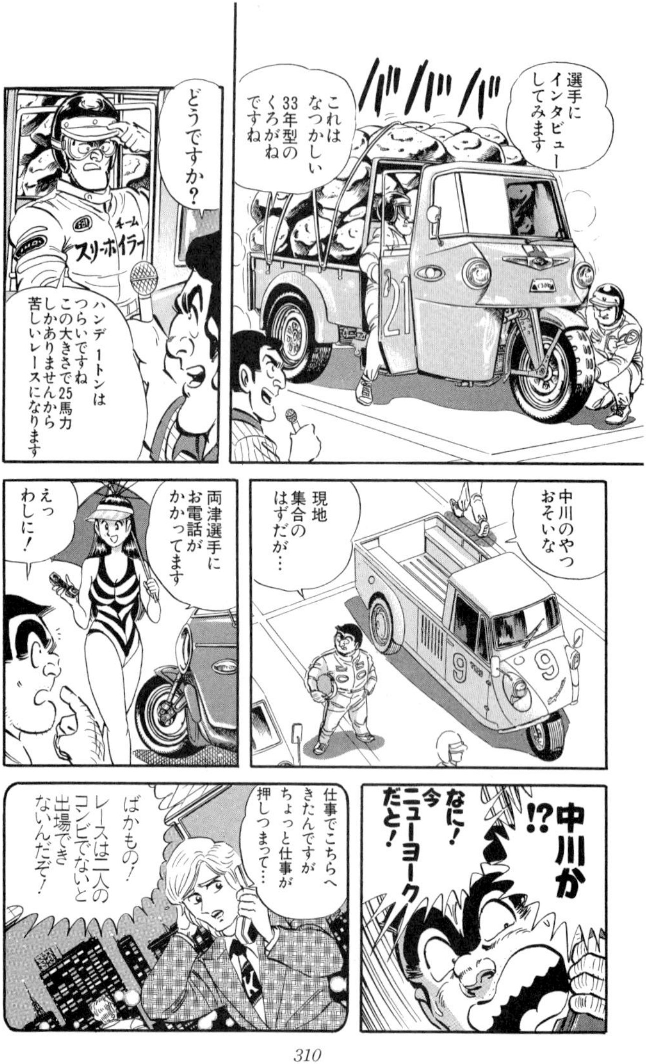

ババババ
選手にインタビューしてみます
これはなつかしい33年型のくろがねですね
どうですか？
チーム
スリーホイラー
ハンデ1トンはつらいですね この大きさで25馬力しかありませんから苦しいレースになります
中川のやつおそいな
現地集合のはずだが…
両津選手にお電話がかかってます
えっわしに！
中川か
!?
なに！今ニューヨークだと！
仕事でこちらへきたんですがちょっと仕事が押しつまって…
ばかもの！レースは二人のコンビでないと出場できないんだぞ！

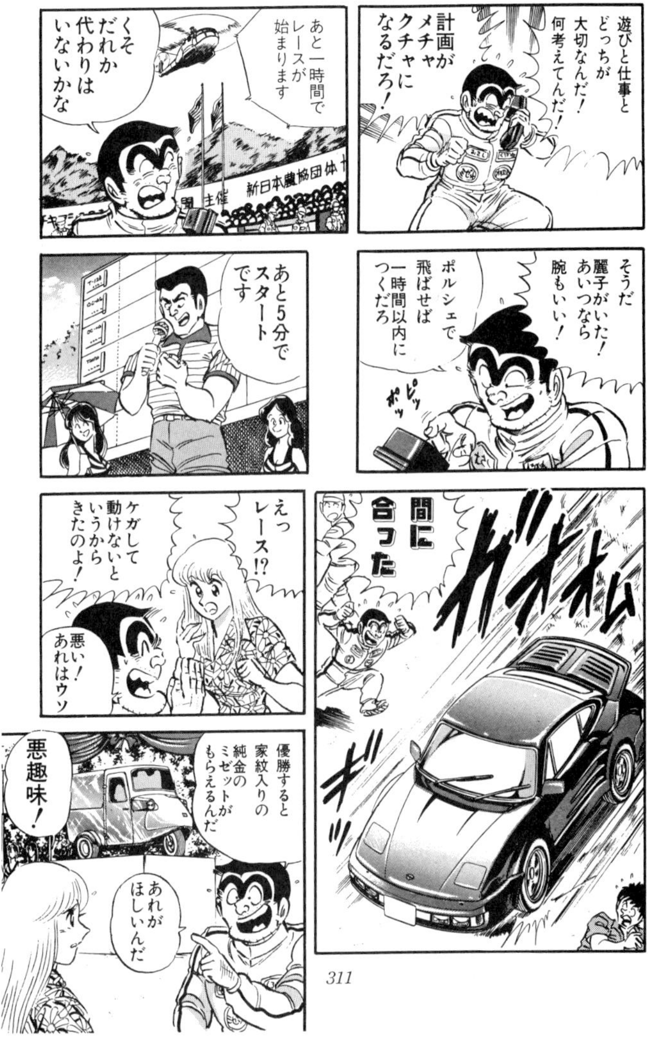
遊びと仕事とどっちが大切なんだ！何考えてんだ！
計画がメチャクチャになるだろ！
あと一時間でレースが始まります
くそだれか代わりはいないかな
新日本農協団体
主催
そうだ麗子がいた！あいつなら腕もいい！
ポルシェで飛ばせば一時間以内につくだろ
あと5分でスタートです
間に合った
えっレース!?
ケガして動けないというからきたのよ！
悪い！あれはウソ
優勝すると家紋入りの純金のミゼットがもらえるんだ
あれがほしいんだ
悪趣味！

おねがいだからいっしょに出場してくれ!!
この通り土下座でもなんでもする!!
ゴン ゴン
プライドを平気ですてるのね
更衣室
あまり気はすすまないけど…いいわよ
やった!早速 着替えて!すぐにスタートだから!はやく!
GO《ゴー》
パパパパパ
模名古村グランプリチキチキマシン三輪《スリーホイラー》バタバタレーススタートです!!
オート三輪なんて運転するの初めてよ!
ガタ ガタ
半分ずつがルールなんだ後半はわしが追い上げる!
下りカーブだわ!!
しまったスピードを落とせ!

うわ!
きゃあ!
びっくりした たおれたわ この車!
四輪とちがって 安定が悪いんだ オート三輪は!
カーブで ハンドルを 切りすぎると こうなる おこすの手伝え!
ドドドド
見ろ 大型三輪の 走行テクニックを!
あれだけ荷を積んだら よりコケやすい そこを 減速し クリアしてる あれがプロの走りだ!
大変なのね 三輪は!
麗子 カーブだ!
減速するわ!
わしが バランスをとる!
その スピードで つっこめ!

パパパパ
キュ
キュ
キュ
それ!
パパパパ
すごいな あのT600!
みずから 重心を とるとは!
ドドドド
ちょこざいな ちびめ!
フル ブレーキ!
あっ
ギギギッ
しまった!
パパパパ
四輪とは ブレーキ性能が 異なるんだぞ
そんな スピードで 曲がれると 思ってるのか!

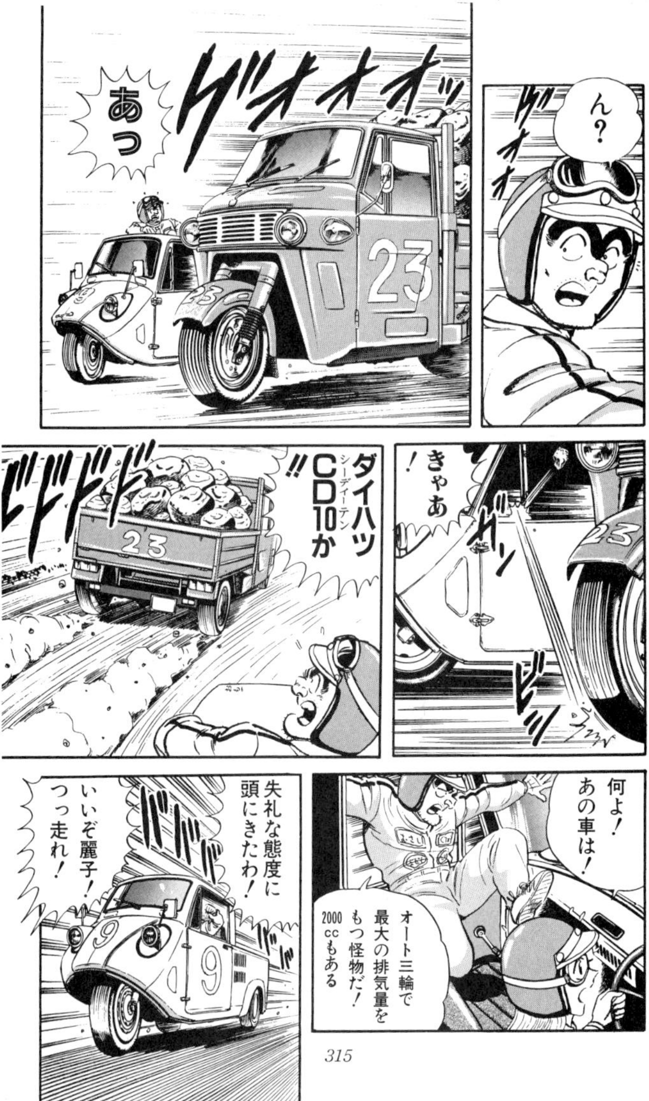
グオオオ
ん?
あっ
グオオオッ
きゃあ!
ガッ
ビシ
ダイハツCD10《シーディーテン》か!!
ドドドド
何よ! あの車は!
オート三輪で最大の排気量をもつ怪物だ! 2000ccもある
失礼な態度に頭にきたわ!
いいぞ麗子! つっ走れ!
ドドド

ドドドドド
ぬおっジャイアント!!
オート三輪界に初めて丸ハンドルをひっさげて登場した革命児だ!
ドドドドド
あいつもあなどれんぞ!
麗子!ピットインだ!!
え?
PIT
STOP
もうガソリンないの?
キッ
その通り!
さっきの連中は大型で乗用車並に入るが こっちはバイクに近い10ℓ《リッター》ちょっとだ
かなりのハンデね
レースはいよいよ後半街の中に入りました
ブロオオ
ヴオオオ
道路がせまいので大型車は大変です!

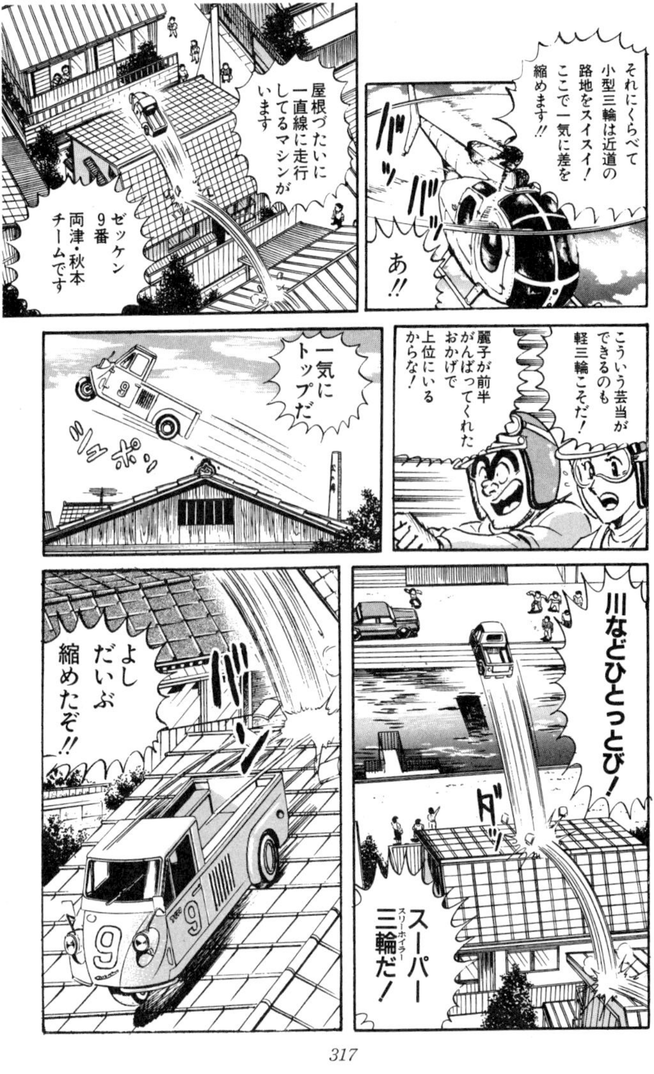

それにくらべて小型三輪は近道の路地をスイスイ! ここで一気に差を縮めます!!
ドッドッ
あ!!
屋根づたいに一直線に走行してるマシンがいます
ゼッケン9番 両津・秋本チームです
こういう芸当ができるのも軽三輪こそだ!
麗子が前半がんばってくれたおかげで上位にいるからな!
一気にトップだ
シュポッ
川などひとっとび!
ダッ
スーパー三輪《スリーホイラー》だ!
よし だいぶ縮めたぞ!!
ダッ

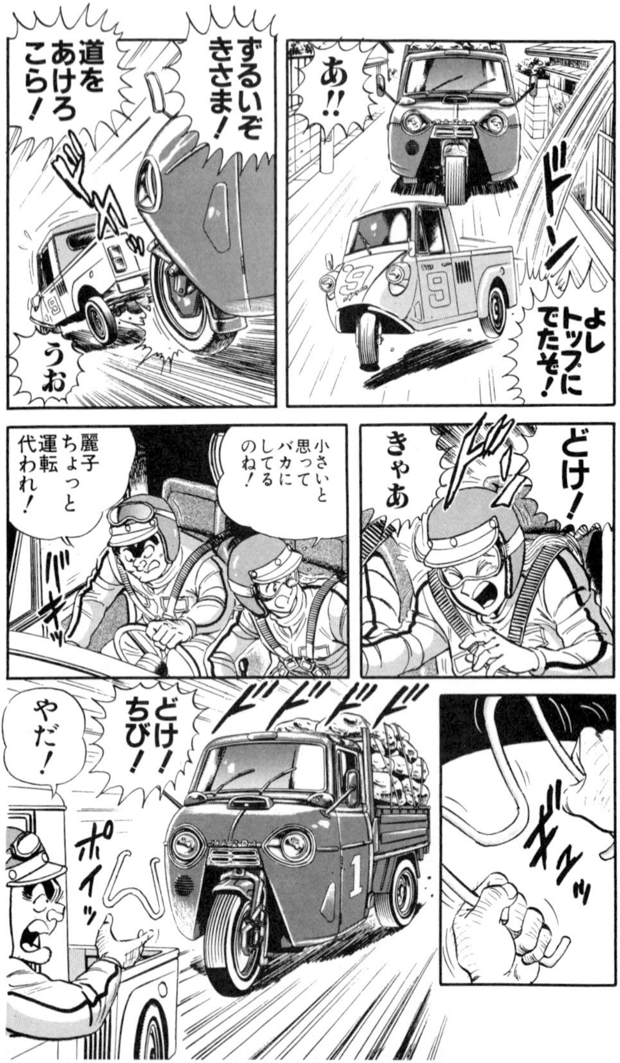
あ!!
ドドーン
よしトップにでたぞ!
ずるいぞきさま!
道をあけろこら!
うお
どけ!
きゃあ
小さいと思ってバカにしてるのね!
麗子ちょっと運転代われ!
バキッ
ギュッ
ドドドドド
どけ!!ちび!!
やだ!
ポイッ

ガチャ
次のカーブではじき出してしまえ！
そりゃおもしろい！
おや？うっ！
どうかしたのか？
グッ
ハンドルが全然動かん!?
なに!?
ガガッ
バハハーイ
うおおやばい！

やった
トップだ
!
正義は
勝つ!
おっ?
ガタ
ガタ
きゃあ
パンク
だ!
えっ三輪は
スペアタイヤ
積んでないの
?
バイクに
近いからな
よわったな
ゴールまで
あと少しだ!
草をタイヤに
つめて走ろう
くそ
バイクより
はずすのが
めんどうだ
あっ
ドドド
ふう やっと
はずれた!
よいしょ
っと

キイイイイイン
キラ〜
くそ! なんてことしやがる!
とてもとりにいけそうもないわね
これじゃ走れないわね…
くそ〜 ここまできてリタイアはくやしい!
何かタイヤの代わりは…
よし これを使おう!
えっ!
わはは 見ろ!
パパパパパ
すばらしいアイデアだ
コーナーも大丈夫!
ビイイイン

やったゴールだ！
ワァ ワァ
東京チャンネル
パパパパ
これで優…
きゃあ
うお
ガガ!!
きゃあ
バキ!!
ガシャガシャ!!
伊集院青果店
ガシャガシャ
ドガガ!!
くそゴールはまだか！
きゃあ
バキ!!
豆乳

ぬお
グググ
わしが背負って走るぞ!
うおおお
あと5メートルだ!
ゴールイン!!
やった優勝!
三輪自動車というより人力車だね今のは!
タイヤがなくなったんだあれしか方法がないだろ!合法的だ!
ふつうリタイアしてあきらめるよな
やっぱりくるんじゃなかったわ
ガヤ
ガヤ
ガヤ
SANS
ゼット
ゼット

★週刊少年ジャンプ1990年31号

勝鬨橋《かちどきばし》ひらけ!の巻

何それ?
橋の専門書よ!
《東京都》　勝《かち》鬨《ど》橋《ばし》（昭和15年完成）
京橋区
築地と月島は目の前にあるが連絡する為に永代橋を渡るしかない。自動車で30分もかかり もし、勝鬨橋で連絡すればわずか5分ですみ一般交通に便利で
形式 可動橋　支間44.0m　幅員22.0m　総鋼重5000t　双葉式 跳開橋
両ちゃんあてに送られてきたんですって
なんで先輩の所にそんな工学書など?
わしにもよくわからん
勝鬨橋か 昔開いたけど今閉鎖されてるんだよね
もう開かないの?
閉鎖後一度開いた事があるぞ
えっ?まさか!
本当だよ
開けた本人が言ってるんだからまちがいない!

東京湾河口にかかる勝鬨橋は
船を通すため 橋の中央が開閉する
その規模の大きさは 可動橋の中でも
有数であり 隅田川《すみだがわ》の名物橋であった
しかし…
時代は 海運から陸運に変わり
その後 橋はとじられ それから20年間
一度も開いた事はない
昭和40年代
大門中学校

勝鬨橋《かちどきばし》ひらけ！の巻《まき》

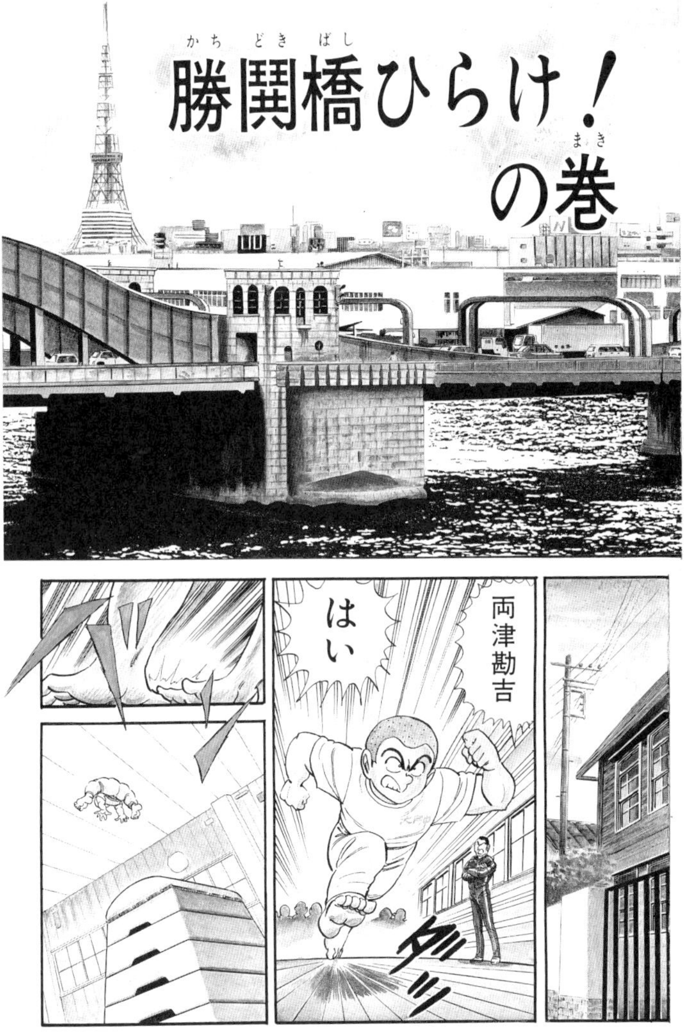

グル
大回転宙がえり!
グル
ドカ"
勘吉!! だれが空中回転しろと言った!
サービスです
ははは
勘ちゃんすごいよ!最高!
パチ パチ
純《じゅん》くんおもしろかった!
この次もまたやるから見てて!
白鳥《しらとり》 純くんはお金持ちで頭がよくてぼくらとは正反対
でも 体が弱く 体育はいつも見学していた
純くん万博《ばんぱく》へ行ったのすげー!
でも混んでいてあまりよく見られなかったんだ

新幹線で行ったんだってとん吉《きち》のった事ある？
東武線《とうぶせん》しかのった事ない！
みなさんでめし上がって下さいね
いつもすみませんねおばさん！
いいのよ！これからも純と仲良くしてね！
体育見学の時も勘ちゃんたち見てると全然退屈しないよ
勘吉のとりえは元気だけだから…
ゴン
今度ばく転見せるからさ
そのかわりテストの時はまた見せて！オレ両目2.5でさカンニングむきなんだ
ははは
あれ？その本
うん
日本の可動橋
動物図鑑
の歴史
船
世界の自動車
これに前言ってた勝鬨橋が出てるんだ
そういうの好きなんだね
まだ勝鬨橋見た事ないの？純くん！
見たいのだけど…遠くにあるでしょう
近いよ銀座こえてすぐだよ！

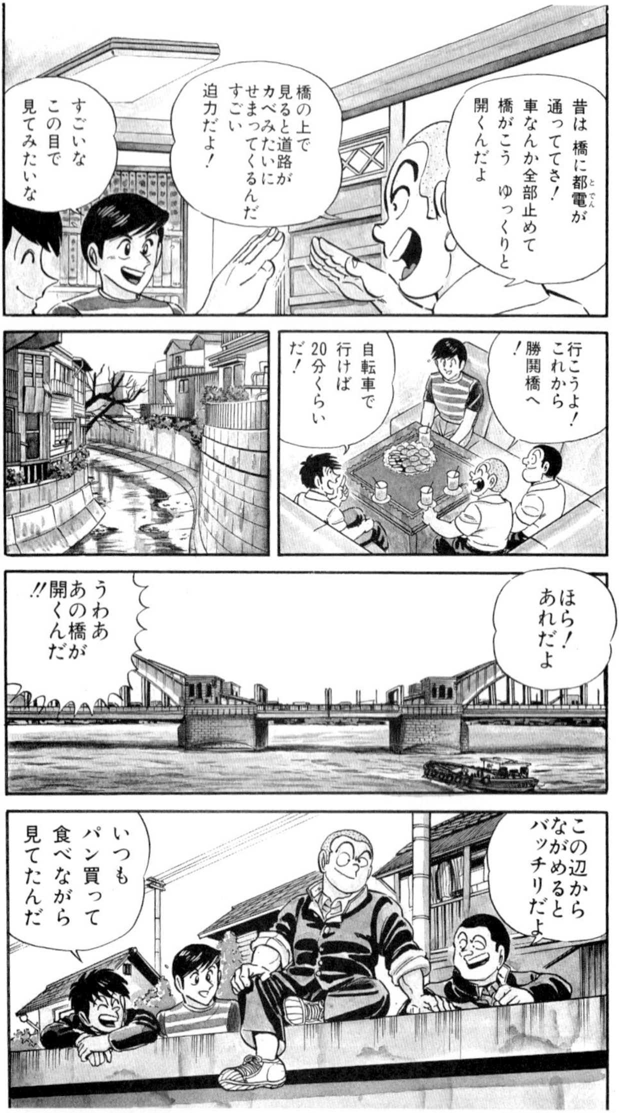
昔は 橋に都電《とでん》が 通ってさ! 車なんか全部止めて 橋がこう ゆっくりと 開くんだよ
橋の上で 見ると道路が カベみたいに せまってくるんだ すごい 迫力だよ!
すごいな この目で 見てみたいな
行こうよ! これから 勝鬨橋へ!
自転車で 行けば 20分くらい だ!
ほら! あれだよ
うわあ あの橋が 開くんだ!!
この辺から ながめると バッチリだよ
いつも パン買って 食べながら 見てたんだ

船が来たぞ
やった開くぞ
それググ…と
あれ？
おかしいなお昼にはいつも開くはずなのに
どうしたんだろう
勝閧橋變電所
えーーっもう開かないの！
昨日開けたのが最後だ
もう可動橋の役目は終わったんだ
橋の閉鎖を惜しむ人たちが大勢来てたよ昨日は！
これも時代の流れで仕方ない事なんだ
全然知らなかったな！
ちぇっ！

もう勝鬨橋は開かないんですか？
残念だが…
この橋はもう二度と開く事はないんだ
ちぇっせっかく見に来たのに！
がっかりだよ！
純くんたのしみにして来たのにね
気をおとすなよ純！
………
次の日から純くんは学校を欠席しました
どうしたんだろう？病気かな
帰りに家に寄ってみようぜ
えっ転校⁉

空気のいい北海道《ほっかいどう》に引っ越す事になったんだ！
せっかくみんなと仲良くなれたのに
ひとつだけ心残りなのはあの勝鬨橋の開く所が見れなかった事さ
みんなで一緒に見たかったね
そうかあ純くん引っ越しちゃうのかあ残念だな
もう一生あんなおいしいケーキを食べられないな
テストもまた0点にもどるぞ
勝鬨橋の事ずいぶんがっかりしてたね
開く所を見せてあげたかったな
そうだ橋の開く所を見せてやろう!!
だからもうムリなんだよ
みんなで開けるんだよ橋を！
えっ！

ゴホン
ゴホン
コン
コン
おす
あっ
えっ
勝鬨橋が
開くの！
そう！
早く早く
こっち
こっち！
ジョン
すぐ
もどるから！
しーっ
ワン
体の方は
大丈夫？
橋が
見れる
ためなら
平気さ！
ゴホ
ゴホ
ようし
出発
ジャー

やっぱり
ここが一番
いい
ながめだな
純くんは
ここで
まっていてね
本当に
開けて
もらえるの？
心配
するなよ
おれたちに
まかせて！
ブブー
プアー

4個のうちハシゴがついているのはあの塔だけだ
おそらくあそこが運転室だと思う！
橋を上げるから2人で車を止めてくれ
わかった！
やっぱりカギがしまってる
ガチャ
しかしムダだ
開けるのは大得意
カーン
カーン
止まれ〜〜〜!!
橋が開くぞ！止まれ！
あっ!?
ブロロロ

チャッ
やはりここだな!
すごい回路の数だ!
やっぱ電源入れないと作動しない!
どうやって動かすのかな?
ガチャ
こら!
勝手に車を止めたらいかんぞ!
カーン
勘吉!お巡りさんに見つかった
なに!
ダダダ

ガチャ
クル
こら
お前たち！
ドヤ
ドヤ
あ
うわ
ドン
あっ
ドアが！
ガチャ
だめだ
車も止まらないし
お巡りさんにも見つかるし！
ちょっと
計画が
無謀すぎた
やめよう！
ドドン
ばか！
純くんが
まってるん
だぞ
本当に
開くの
かな…
ゴホ
ゴホ

こら!開けろ!
そこから早く出てきなさい!
どうする勘吉
やっぱり橋を上げる!!
今しかチャンスはない!
ガチャ
ようし
ガシャ
もうやけくそだ!
あっ電源を!
こら〜〜〜さわるんじゃない!
ブルーーーン
ウイイイ

メーターが動いた!
スイッチを全部入れろ!
ありゃ勝鬨橋の信号がついたぞ
ばかな!あの橋は閉鎖になったはずだぞ
パッ
パッ
ブァ〜
ブブ
ブブ
たのむから動いてくれ!
勝鬨橋!!
ひらけ!!
ググイ

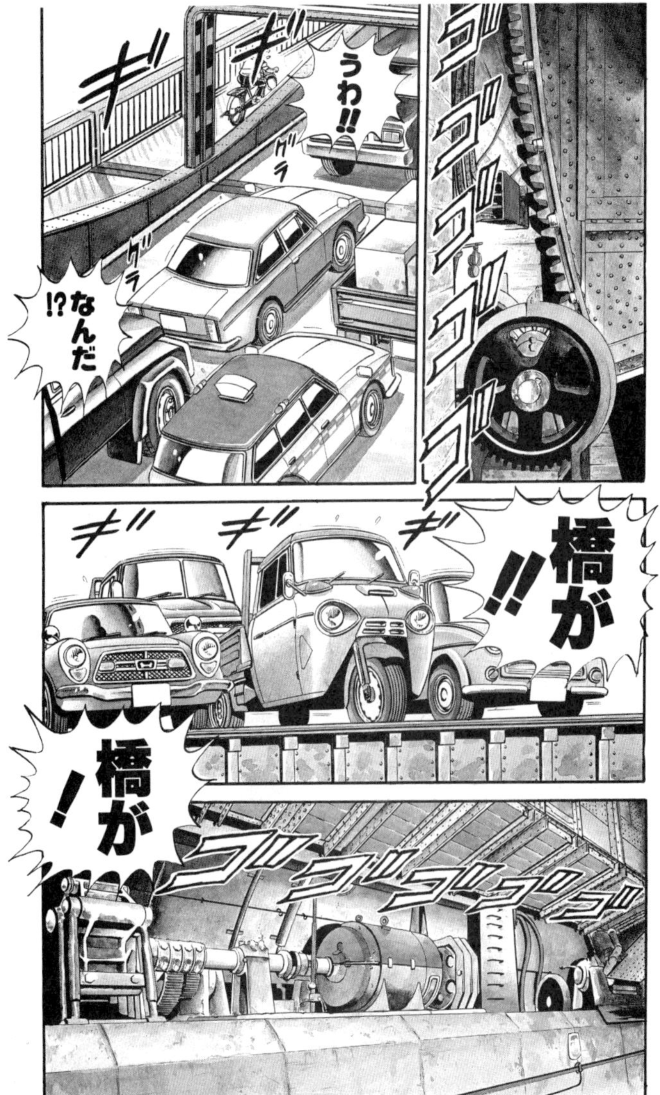
ゴゴゴゴゴゴ
ギギ
うわ!!
グラ
グラ
なんだ!?
ギギギ
橋が!!
橋が!
ゴゴゴゴゴ

ギ
ギ
ギ
開いた!!
もっと!!
ギ
ギ
もっと!!
もっと高く!!
ギ
ギ
もっと高く!

ギ ギ
あ!!
ズズ
ズズ
うわっ!!
ド
ガ

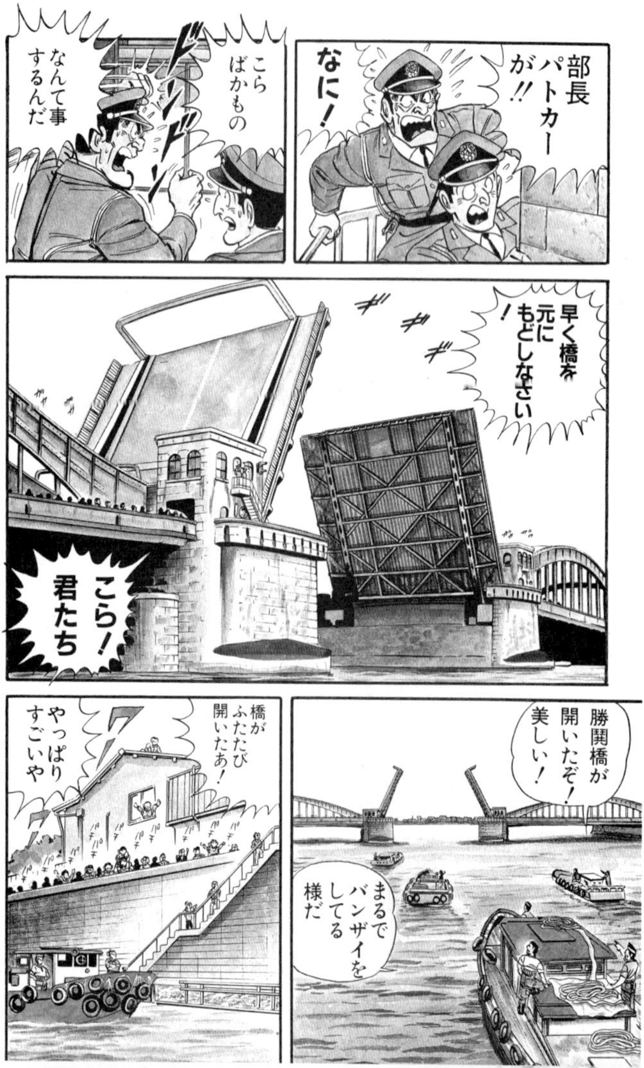

部長
パトカーが!!
なに!
こら
ばかもの
ドーン
なんて事するんだ
早く橋を元にもどしなさい!
ギ
ギ
ギ
こら!
君たち
勝鬨橋が開いたぞ!
美しい!
まるでバンザイをしてる様だ
橋がふたたび開いたあ!
やっぱりすごいや

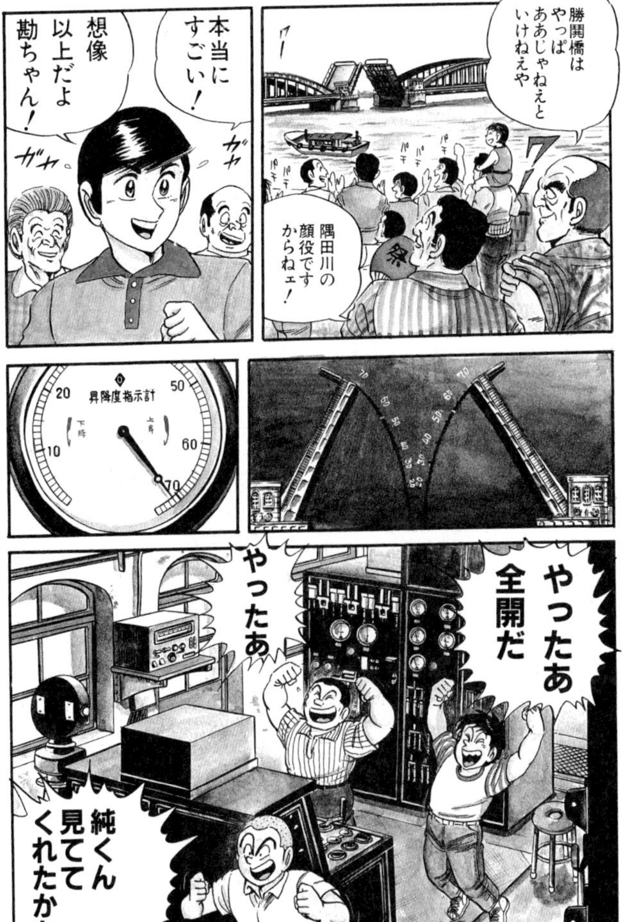
勝鬨橋は やっぱ ああじゃねえと いけねえや
ワー
パチ パチ パチ パチ
隅田川の 顔役です からねェ!
本当に すごい!
想像 以上だよ 勘ちゃん!
ガヤ ガヤ
昇降度指示計
20
50
10
60
70
やったあ 全開だ
やったあ
純くん 見てて くれたかな

あっ パトカーだ!!
ウーーー
ウーーー
お前ら覚悟しろよ
わははは
全員逮捕してやるからな!
隅田川にとび込むぞ!
ガシャッ
えっ
こら! 逃げるな!!
バイバイ
あ!?
ダッ
またんかこら!

橋を上げっぱなしで逃げるなこら！
ドボーン
なんという少年たちだ…
おーいこの橋なんとかしろ
ブブブー
ブブー
プァー！
通れないじゃないか
浜離宮《はまりきゅう》まで泳いで逃げてまた舞いもどり大騒ぎを高みの見物してたよ
相変わらずやる事が豪快ですね
純くんもよろこんでいたでしょうね
そりゃあもう！あの時の興奮した笑顔は忘れられないよ！

本当に
うれし
かったよ
あの時は
そう
だろうなあ
あっ
純!?
20年ぶり
だな
勘ちゃん
元気そうだな
あれから
全然手紙も
よこさないで
まったく!
すまん
悪かった
手紙は送ったで
ちゃんと!
この本を
送った
からな!
えっ
この人が…
あっ
著者
北海大学名誉教授
工学博士
白鳥　純
あの時　命がけで
橋を上げてくれた
日の感動が
忘れられなく
てね
すっかり
橋に
魅せられて
しまったよ

今日 東京へ来たのもほかでもない
ある計画があるんだ ぜひ 勘ちゃんたちをさそおうと思ってね
どんな計画だ
私のように勝鬨橋の開いた雄姿が忘れられない連中が集まってね
今年 勝鬨橋の50周年を記念しあの巨大な翼をもう一度上げようという計画をたてているんだ
上がった時は少年時代のようにみんなと一緒にながめたくてね
現実的にはかなり大変でまさに夢に近いがその夢をみんなで見たいんだ！
純！ 心配いらん わしの部下にスーパー金持ちが2名いる！ 彼らが私財をなげうてば金の勝鬨橋も可能だ！
ゴールデンブリッジですかムチャですよ

★週刊少年ジャンプ1990年40号

解説エッセイ「コレクターの夢」

北原照久（きたはらてるひさ／トーイズブリキのおもちゃ博物館館長）

『こち亀』は、秋本さんがまだ他のペンネームを使用されている頃からのファンです。当時から作品の中に、おもちゃも頻繁に登場していて、煙を吐きながら歩行するスモーキングロボット、頭が三角形のその名も三角ロボット、コレクター垂涎《すいぜん》のミスター・アトミックも確か出てたんじゃないかな。秋本さんの作品に出演するおもちゃは、とても僕の好みにもピッタリで、またその描くディテールの細かさ、マニアックさは、たまらない魅力でした。

先日、ジャンプの取材で秋本さんのコレクションのＧＩジョー（トーキングタイプ）の鑑定依頼があり、７万円という値を付けました。１９６０年代に作られたタイプで、コンディションも素晴らしく、とても大切にしているらしく、同封のメモ書きに、〝なるべくヒモは引かないで下さい〟と記されてあり、ＧＩジョー本体の喋りは別のテープにとってありました。僕自身コレクターですから、秋本さんの、この辺のニュアンスというか気持ちは、わかりすぎるぐらいわかりますし、むしろ物に対する思い込みや情熱が感じられ、とても嬉しくなりました。よくコレクターというと、世間では変人とかオタクとか、あまりいい意味ではとられませんが（作品の中には、その辺を面白く扱っていて笑えますが）そんなことはないんです。やたらあきっぽい人は、コレクター向きではありませんし、物に感動できたり感激したり、何よりマメでなければいけません。そうですよね、そうでなけりゃコミックスで100巻になるほど続きませんよね。秋本さんは、そんな意味でもロマンチストで、『こち亀』を見てても感じられます。

また作品の話になりますが、おばあちゃんが1人でやっている、おもちゃ屋さんが出てきます。そこを通りかかった両さんが野性的なカンで、そこにブリキおもちゃが埋蔵（？）されているのを見抜き、「宝の山だ」と内心喜び、でも顔は平静を装い、交渉するというシーンがあります。さらに、その奥の押し入れを開けると売れ残りのブリキのおもちゃや、GIジョーが山積みになっていたり　もうこの展開は、たまりません。僕をはじめとして日本中のおもちゃコレクターには、まさしく実体験として、また夢に見る話で、僕自身、何度もこんなシーンに出合いました。そして夢の中でもこの場面はお決まりで、「やった！

ついに宝の山を発見したぞ」と、その瞬間、目が覚めてガッカリするのです。もうこれは、秋本さん本人の夢であるに違いないのですが、体験なくしては描けない、などと同胞意識すら感じてしまいます。

今から、20年ぐらい前は、日本中のおもちゃ屋さんで、こんなシーンがありました。僕自身、何度もこんな体験をしたものです。

未だに地方へ行くと、僕も野性のカンが蘇ります。この通りの角を曲がると、おもちゃ屋がありそうだとか、この商店街は匂うなどと、ついついおもちゃ屋廻りをしてしまうことがあります。無いとは、わかっていても、そこにおじいさんやおばあさんがいたら、もうその瞬間、両さんになってしまっていますから、「何か売れ残りない？」なんて話しかけています。『こち亀』を何度も読み直していたことが、この野性のカンを失わない秘訣かも知れませんね。

あと、印象に残る作品の中で、両さんがリカちゃんのコレクターの家を訪ね、部屋に足を踏み入れたとたん、壁から天井からリカちゃんだらけなのに驚き、〝スゴイ〟と言わしめたシーンがあるんです。（余談ですが、この時、すでに両さんは鑑定という表現を使っています。先見ですね）

僕も最近、神奈川県の相模原にキャラクター（ディズニー、ＧＩジョー、ポパイなど）の博物館をつくりまして、そこに秋本さんに負けじ（？）と360のオーバルルームの壁面全てをキャラクターで埋め尽くすという、究極のコレクターズルームをつくってしまいました。是非、こちらにも両さんに一度来て頂き、さらなる〝コレクター道〟の深さに共感してもらって、また〝スゴイ〟と驚いてほしいものです。

そうそう、秋本さんは僕の卒業した本郷高校の卒業生で僕の後輩になります。そして僕の息子も同じ高校を卒業しましたので、秋本さんの後輩になるんです。親子で先輩、後輩という関係は、とても嬉しいものです。そして、息子もまた『こち亀』のファンらしく、最近では、最新刊は息子が必ず買ってきます。それを僕は、「ちょっと貸してよ」「まだ読んでないよ」なんて、よくやりとりをしていますし、息子も僕のコレクションのバックナンバーを、よく「借りていくよ」「戻せよ」と、『こち亀』が我が家の親子関係を円滑にしてくれてると感謝しています。

ただ息子の関心は、古いブリキおもちゃのシーンより、ゲーセン王やファミコンのプロを自称する両さんにあるらしいのですが、それでも共通の話題にはことかかなく、よく、ふたりで大笑いしています。これからも、ますます多くの読者を楽しませ、コレクションの楽しみやワクワク感を、マンガの中で感じさせてください。
最後になりましたが、おもちゃの話もさることながら、両さんの子供時代を描く、昭和グラフィティが、これまたたまりません。東京生まれの僕の世代には、もう嬉しいやら、懐かしいやら、よく皇居のお堀で、ふなを釣ったり、ベルトをギュッと締めるローラースケートで、銀座通りを流していた自分と、子供時代の両さん、どちらも僕にとっての永遠の思い出です。これからも全開での活躍、期待しています。

掲載作品は集英社より刊行されたジャンプ・コミックス『こちら葛飾区亀有公園前派出所』第69巻（1991年4月）第70巻（同7月）第71巻（同9月）の中から、著者自らが精選して収録したものです。

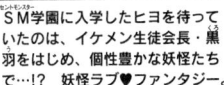

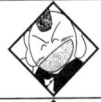

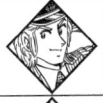

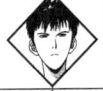

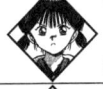

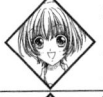

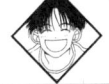

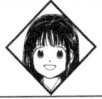

集英社文庫〈コミック版〉既刊リスト

●秋本　治
自選こち亀コレクション
こちら葛飾区亀有公園前派出所〈全26巻〉
こちら葛飾区亀有公園前派出所ミニ〈全4巻〉
こちら葛飾区亀有公園前派出所・大入袋〈全10巻〉
秋本治傑作集〈上・中・下〉
こち亀文庫①〜⑰

●浅田弘幸
浅田弘幸作品集1 蓮華
浅田弘幸作品集2 眠兎
BADだねヨシオくん!①②

●麻宮騎亜
快傑蒸気探偵団〈全8巻〉

●浅美裕子
WILD HALF〈全10巻〉

●荒木飛呂彦
魔少年ビーティー
バオー来訪者
ジョジョの奇妙な冒険①〜㊿
オインゴとボインゴ兄弟大冒険

●作・三条　陸
画・稲田浩司
監修・堀井雄二
ドラゴンクエスト ダイの大冒険〈全22巻〉

●今泉伸二
空のキャンバス〈全5巻〉

●うすた京介
武士沢レシーブ

●梅澤春人
BØY〈全20巻〉

●江川達也
まじかる☆タルるートくん〈全14巻〉

●えんどコイチ
死神くん〈全8巻〉
ついでにとんちんかん〈全6巻〉

●作・真倉　翔
画・岡野　剛
地獄先生ぬ〜べ〜〈全20巻〉

●荻野　真
孔雀王〈全11巻〉
孔雀王ー退魔聖伝ー〈全7巻〉
夜叉鴉〈全6巻〉

●奥　浩哉
変〈全9巻〉

●作・写楽麿
画・小畑　健
人形草紙あやつり左近〈全3巻〉

●作・城アラキ
画・甲斐谷忍
監修・堀　賢一
ソムリエ〈全6巻〉

●かずはじめ
MIND ASSASSIN〈全3巻〉
明稜帝梧桐勢十郎〈全6巻〉
かずはじめ作品集1 遊天使
かずはじめ作品集2 Juto
かずはじめ作品集3 0-Game

●桂　正和
ウイングマン〈全7巻〉
超機動員ヴァンダー
プレゼント・フロムLEMON
電影少女〈全9巻〉

●作・鏡　丈二
画・金井たつお
ホールインワン〈全8巻〉

●ガモウひろし
とっても!ラッキーマン〈全8巻〉

●きたがわ翔
19〈NINETEEN〉〈全7巻〉
ホットマン〈全10巻〉
B.B.フィッシュ〈全9巻〉

●桐山光侍
NINKUー忍空ー〈全6巻〉

●車田正美
風魔の小次郎〈全6巻〉
男坂〈上・下〉
聖闘士星矢〈全15巻〉
雷鳴のZAJI
あかね色の風

●作・寺島　優
画・小谷憲一
テニスボーイ〈全9巻〉

●許斐　剛
COOL〈全2巻〉

●佐藤　正
燃える!お兄さん〈全12巻〉

●柴田亜美
自由人HERO〈全8巻〉

●作・城アラキ
画・志水三喜郎
監修・堀　賢一
新ソムリエ 瞬のワイン〈全6巻〉

●新沢基栄
3年奇面組〈全4巻〉
ハイスクール!奇面組〈全13巻〉

●鈴木　央
ライジング インパクト〈全10巻〉

●高橋和希
遊☆戯☆王〈全22巻〉

●高橋陽一
キャプテン翼〈全21巻〉
キャプテン翼ーワールドユース編ー〈全12巻〉
キャプテン翼 ROAD TO 2002〈全10巻〉
エース!〈全6巻〉

●高橋よしひろ
銀牙ー流れ星 銀ー〈全10巻〉
白い戦士ヤマト〈全14巻〉

●武井宏之
仏ゾーン〈全2巻〉

●作・夢枕 獏
画・谷口ジロー
神々の山嶺〈全5巻〉
●ちばあきお
キャプテン〈全15巻〉
プレイボール〈全11巻〉
●作・七三太朗
画・ちばあきお
ふしぎトーボくん〈全4巻〉
●次原隆二
よろしくメカドック〈全7巻〉
●つの丸
みどりのマキバオー〈全10巻〉
●手塚治虫
名作集①ゴッドファーザーの息子
名作集②雨ふり小僧
名作集③百物語
名作集④マンションOBA
名作集⑤はるかなる星
名作集⑥白縫
名作集⑦⑧フライング・ベン〈全2巻〉
名作集⑨⑩ナンバー7〈全2巻〉
名作集⑪新選組
名作集⑫⑬⑭ビッグX〈全3巻〉
名作集⑮⑯アポロの歌〈全2巻〉
名作集⑰グランドール
名作集⑱光線銃ジャック
名作集⑲緑の猫
名作集⑳くろい宇宙線

名作集㉑どついたれ
●冨樫義博
てんで性悪キューピッド〈全2巻〉
●徳弘正也
シェイプアップ乱〈全8巻〉
●鳥山 明
Dr.スランプ〈全9巻〉
鳥山明 満漢全席①②
●作・武論尊
画・原 哲夫
北斗の拳〈全15巻〉
●樋口大輔
ホイッスル！〈全15巻〉
樋口大輔作品集
BREAK FREE＋《プラス》
●作・牛次郎
画・ビッグ錠
包丁人味平〈全12巻〉
●ビッグ錠
一本包丁満太郎セレクション〈全8巻〉
●平松伸二
ブラック・エンジェルズ〈全12巻〉
●作・武論尊
画・平松伸二
ドーベルマン刑事〈全18巻〉
●藤崎 竜
藤崎 竜作品集1
サイコプラス
藤崎 竜作品集2
サクラテツ対話篇

藤崎 竜作品集3
天球儀
ワークワーク〈全3巻〉
●星野之宣
妖女伝説〈全2巻〉
MIDWAY〈歴史編〉〈宇宙編〉
●巻来功士
ゴッドサイダー〈全6巻〉
●まつもと泉
きまぐれオレンジ★ロード〈全10巻〉
せさみ★すとりーと〈全2巻〉
●光原 伸
アウターゾーン〈全10巻〉
●宮下あきら
魁!!男塾〈全20巻〉
激!!極虎一家〈全7巻〉
●村上たかし
ナマケモノが見てた〈全5巻〉
●本宮ひろ志
男一匹ガキ大将〈全7巻〉
硬派銀次郎〈全8巻〉
天地を喰らう〈全4巻〉
俺の空〈全11巻〉
赤龍王〈全5巻〉
さわやか万太郎〈全6巻〉
猛き黄金の国 岩崎弥太郎〈全3巻〉
猛き黄金の国 斎藤道三〈全4巻〉

サラリーマン金太郎〈全20巻〉
●森下裕美
夢幻の如く①〜⑦
少年アシベ〈全4巻〉
●作・伊藤智義(①④のみ)
画・森田信吾
栄光なき天才たち〈全4巻〉
●森田まさのり
ろくでなしBLUES〈全25巻〉
ROOKIES〈全14巻〉
●諸星大二郎
暗黒神話
孔子暗黒伝
自選短編集
汝、神になれ鬼になれ
自選短編集 彼方より
妖怪ハンター〈地の巻〉〈天の巻〉〈水の巻〉
●八木教広
エンジェル伝説〈全10巻〉
●矢吹健太朗
BLACK CAT〈全12巻〉
邪馬台幻想記
●やまさき拓味
自選作品集 優駿たちの蹄跡〈全4巻〉
●作・大鐘稔彦
画・やまだ哲太
外科医・当麻鉄彦 メスよ輝け!!〈全8巻〉

●弓月 光
ボクの初体験〈全2巻〉
エリート狂走曲〈全4巻〉
ボクの婚約者〈全5巻〉
甘い生活①〜⑫
みんなあげちゃう♥〈全13巻〉
●ゆでたまご
キン肉マン〈全18巻〉
闘将!!拉麵男〈全8巻〉
●吉沢やすみ
ど根性ガエル①②
●吉田ひろゆき
Y氏の隣人—傑作100選—〈全8巻〉

コミック文庫HP
http://comic-bunko.shueisha.co.jp/

集英社文庫（コミック版）

こちら葛飾《かつしか》区《く》亀有《かめあり》公園《こうえん》前《まえ》派《は》出所《しゅつじょ》　4

1995年12月20日　第1刷
2009年7月31日　第20刷

定価はカバーに表示してあります。

著　者　秋《あき》本《もと》　治《おさむ》

発行者　太田富雄

発行所　株式会社　集英社
東京都千代田区一ツ橋2－5－10
〒101-8050
電話　03（3230）6251（編集部）
03（3230）6393（販売部）
03（3230）6080（読者係）

印　刷　図書印刷株式会社

Printed in Japan

ISBN4-08-617104-X C0179